ROSE *na* TEMPESTADE

JON KATZ

ROSE *na* TEMPESTADE

Tradução

Alda Porto

Novo Conceito

Publicado sob acordo com Villard, um selo de The Random House Publishing Group,
uma divisão de Random House, Inc.
Título original: Rose in a storm

Esta é uma obra de ficção. Os nomes, personagens, lugares e acontecimentos descritos são produto da imaginação do autor. Qualquer semelhança com nomes, datas e acontecimentos reais é mera coincidência.

1ª Impressão — 2013

Produção editorial:
Equipe Novo Conceito
Impressão e Acabamento RR Donnelley 130913

Este livro segue as regras da Nova Ortografia da Língua Portuguesa.

Dados Internacionais de Catalogação na Publicação (CIP)
(Câmara Brasileira do Livro, SP, Brasil)

Katz, Jon
Rose na tempestade / Jon Katz ; tradução Alda Porto. -- 1. ed. --
Ribeirão Preto, SP : Novo Conceito Editora, 2013.

Título original: Rose in a storm.
ISBN 978-85-8163-283-4

1. Ficção norte-americana I. Título.

13-09586 CDD-813

Índices para catálogo sistemático:
1. Ficção : Literatura norte-americana 813

Novo Conceito

Rua Dr. Hugo Fortes, 1885 — Parque Industrial Lagoinha
14095-260 — Ribeirão Preto — SP
www.editoranovoconceito.com.br

PARA A ROSE REAL

Não existe glória maior do que morrer por amor.

— GABRIEL GARCÍA MÁRQUEZ,
O amor nos tempos do cólera

1

DENTRO DA CASA DA FAZENDA, ROSE ERGUEU A CABEÇA E INCLINOU as orelhas. Ouviu a respiração ruidosa de uma ovelha. Da janela, pela escuridão, via neblina, lama e sombras avermelhadas dos celeiros.

Ao levantar o focinho em direção ao pasto, sentiu o cheiro forte, pegajoso, de parto, da cria de cordeiros. Farejou esterco e medo.

Ouviu um arquejo, o som de morte ou desespero, e em seguida uma ovelha balindo alarmada para as outras. Tomou posição e se encaminhou apressada a passos surdos até a lateral da cama do fazendeiro, e então ergueu os olhos para seu rosto adormecido. Latiu uma vez, insistente e alto.

SAM, O FAZENDEIRO, acordou assustado com Katie na noite escura de janeiro. Murmurou:

— Tem certeza? — e resmungou alguma coisa sobre o sono de uma noite, mas se levantou da cama e enfiou às pressas a calça e a camisa.

Sabia que não podia ignorar Rose, sobretudo na hora do parto de filhotes. Ela parecia ter um tipo de mapa da fazenda dentro da cabeça, uma imagem de como tudo tinha de ser. Sempre que algo estava errado ou fora de lugar, um animal doente, uma cerca derrubada, um intruso, ela sabia no mesmo instante, e chamava a atenção para o fato, farejando, latindo, andando em círculos. Parecia a Sam que Rose atualizava constantemente o mapa.

De vez em quando, seu mapa falhava ou a confundia, mas isso era raro. Sam cuidava para que ela sempre estivesse com ele, que fosse informada de tudo o que chegava e saía, todo animal, toda máquina, para que ela pudesse manter seu inventário mental.

Entre os amigos, Sam chamava Rose de sua administradora da fazenda. Estavam juntos fazia seis anos, desde que ele fora de carro até a fazenda Clark e vira uma ninhada de filhotes do cruzamento de cão pastor com border collie. Ainda continuava a debater consigo mesmo sobre adquirir um cão para pastoreio, não tinha a mínima ideia de como treinar um, nem tempo para fazê-lo.

Mas, provavelmente ao farejar o cheiro de ovelhas, Rose correu direto até ele, com a aparência tão ansiosa por começar a trabalhar, mesmo aos dois meses de vida, que ele acabou levando-a para casa. Poucas semanas depois de sua chegada, depois que algumas ovelhas se desgarraram por um portão destrancado e atravessaram a estrada, Rose disparou da casa como um raio, pela porta de cachorro recém-instalada, encurralou-as e as pôs de volta, trabalhando apenas com o instinto. Com certeza, não tivera ajuda alguma de Sam, o qual nem tomou conhecimento de que as ovelhas tinham escapado. Desde então, os dois vinham trabalhando lado a lado.

A partir daí, Sam balançava a cabeça sempre que via na televisão as esmeradas e muito coreografadas experiências da função de arrebanhar. Rose tornou-se tarimbada na tarefa sozinha; simplesmente, parecia saber o que fazer. A fazenda, ele dizia aos amigos, era o maior treinador do mundo. Os animais do rebanho faziam o que ela lhes mandava fazer, o que resumia tudo o que Sam de fato queria. Levá-las de um lugar para outro. Rose não tinha de ser bonita, embora às vezes fosse linda.

O relacionamento aprofundara-se muito além de qualquer coisa que ele entendia a princípio, ou sequer imaginava. Era mais como uma parceria, dissera a Katie, um entendimento mais sutil que palavras. Alguma coisa que ele vivenciava e na qual não pensava muito.

"Acho que você ama mais essa cachorra que a mim", Katie às vezes brincava. Sam enrubescia e gaguejava. "Ela não passa de uma cachorra", ele retrucava, porque não sabia dizer o que Rose realmente significava para ele.

Agora, via pela urgência do latido de Rose que algo estava errado. Ela não parava de inclinar as orelhas para o pasto, agitada, ansiosa por chegar lá fora.

Assim, nessa noite fria e varrida pelo vento, Sam, um homem alto, magro, com o que outrora fora um sorriso pronto e uma cabeça cheia de cabelos castanho-avermelhados, desceu, pegou uma lanterna, vestiu um casaco, calçou botas e, ao lado de Rose, saiu pela porta dos fundos para a noite. Mesmo na escuridão, à luz refletida da Lua, ele via-lhe o intenso brilho dos olhos azul-claros.

A CASA DA FAZENDA FICAVA no sopé de um pasto suave, ondulante. Pela porta dos fundos, havia dois caminhos. O primeiro, à esquerda, conduzia à mata, e o da direita seguia direto aos dois celeiros e aos portões do pasto.

O primeiro celeiro era grande, cheio de feno no palheiro e tratores, e às vezes vacas, embaixo. Um galpão anexava-se ao grande celeiro, que alojava equipamentos e suprimentos, além de alguma forragem. Mais distante, colina acima, ficava um outro celeiro, sobre estacas. Uma construção trilateral, com o quarto lado aberto para o ar livre, permitia que os carneiros ficassem do lado de fora, onde preferiam, enquanto esse ainda oferecia certo abrigo dos fenômenos atmosféricos. Quando mantidos dentro de um celeiro fechado, os animais ficavam temerosos, claustrofóbicos, baliam lamuriosos, dia e noite. De todo modo, foi assim que o pai de Sam o construiu. Os três prédios formavam um triângulo: a casa da fazenda embaixo, o grande celeiro não muito distante, de um dos lados, e o celeiro sobre estacas cem metros colina acima. As vacas ficavam no outro pasto, no lado oposto do celeiro grande.

A algumas centenas de metros da casa da fazenda, o caminho levava a um portão, que se ligava a uma cerca que protegia todos os pastos e os celeiros. Sam estava orgulhoso da cerca. Passou anos trabalhando nela, escorando e remendando, e no ano anterior nenhum animal tinha escapado da propriedade ou entrado nela.

Ao se aproximarem do celeiro, Sam viu no feixe de luz de sua lanterna o que, afinal, Rose ouvira e pressentira um pouco acima do prédio. Deslocou-se mais rápido e abriu o portão do pasto. Rose precipitou-se à sua frente, correndo até a ovelha que se esforçava. Sam pegou o saco de equipamento médico do celeiro e seguiu depressa atrás da cachorra no caminho bem trilhado pelos animais, marcado por esterco e lama incrustada de gelo, pungente mesmo no inverno. O grande celeiro ficava à direita, agigantado como um grande navio de guerra, suas luzes enviando pequenos feixes luminosos ao pasto escuro e enevoado. Aquele velho celeiro tinha muitas histórias a contar.

O telheiro de parir cordeiros, onde Sam pusera a ovelha prenhe alguns dias antes, também era aberto em um dos lados, embora protegido da neve e do vento. Uma escotilha aberta levava do telheiro de parto a uma área aquecida por lâmpadas de geração de calor e forrada com feno e palha, para onde as ovelhas podiam levar seus filhotes recém-nascidos. Com essa acomodação, elas ficavam do lado de fora quando entravam em trabalho de parto, para que pudessem estar perto dos outros animais do rebanho, e Sam ainda conseguiria vê-las e ouvi-las da casa. Ou pelo menos Rose conseguia.

Ele apontou a luz para a ovelha doente, a de número 89. A respiração ruidosa acalmara-se, o que era um sinal agourento, e ela estava deitava, imóvel, de lado, no canto do cercado num leito de feno.

Rose esperou Sam abrir o portão do cercado de parto e, em seguida, precipitou--se adentro até a mãe, tentando despertá-la, mordiscando-lhe o focinho e o peito.

Sam abriu a valise e retirou tesouras, fórceps, ataduras, seringas, um frasco de iodo, antibióticos e um pouco de corda e pomada. Estava sério e calmo ao seguir em direção a Rose, essa pequena cachorra preto e branco, com olhos penetrantes, que se movia com rapidez e confiança.

AS OUTRAS OVELHAS reunidas no celeiro sobre estacas, colina acima, vigiavam, atentas e ansiosas. Rose ergueu os olhos para a multidão de animais e o Blackface, o líder delas, que aparecera na frente do rebanho. Os olhos e a postura da cachorra deram claras instruções: fiquem aí atrás, "fiquem longe de Sam" — e elas obedeceram.

Se necessário, a pastora usaria os dentes e puxaria um pouco de lã para fazer as coisas se moverem, ou impedi-las de se mover. Raras vezes precisava fazê-lo. Mas essa noite, sobretudo porque não havia comida na área de parir, Rose sabia que elas manteriam distância. As ovelhas não queriam nada com um ser humano ou uma cachorra no meio da noite.

Estava escuro e frio, o chão gelado. Rose viu e sentiu o cheiro do líquido amniótico que se empoçava embaixo da ovelha. Conseguia ver o movimento quase imperceptível da barriga dela, escutar-lhe a respiração fraca, ver-lhe a umidade nos olhos, a secreção das narinas. Ouvia o batimento cardíaco baixíssimo.

Farejava a luta da ovelha.

Rose e Sam haviam feito isso antes, muitas vezes.

Após não ter conseguido fazer a ovelha levantar-se, Rose recuou enquanto Sam fixava a lanterna, ajoelhava-se e enrolava as mangas. Observou-o esfregar pomada nas mãos antes de virar a ovelha, mergulhar o braço na mãe agonizante e encontrar o cordeiro preso no canal uterino.

O cheiro era intenso e preocupante. Tratava-se de um mau sinal. Ovelhas não duravam muito tempo depois do rompimento da bolsa de água.

Sam resmungou e amaldiçoou. Virou os pés da ovelha até ficarem apontados na direção certa, em seguida grunhiu, puxou e tornou a puxar. Por fim, Rose viu-o arrastar a mão para fora e com ela o cordeiro. A pequena e emaranhada criatura não se mexia.

Sam mergulhou o canivete em uma garrafa e depois o usou para cortar o cordão umbilical. Em seguida, levantou-se, ergueu o cordeiro pelos pés e balançou-o, para a esquerda e para a direita no ar frio, para fazer-lhe o coração bater. O filhote estava pegajoso de fluidos, e o ar, gélido. Cordeiros às vezes morrem rápido nessas condições. Se os filhotes são saudáveis, as mães em geral o conduzirão pela escotilha até o calor das lâmpadas de aquecimento.

Rose latiu excitada. O recém-nascido de repente tossiu e resfolegou. Estava vivo. Rose correu em volta da ovelha e começou a mordiscar-lhe o focinho, incitando-a a ficar de pé.

A cachorra e o fazendeiro trabalhavam com urgência. O frio era cortante e Rose sentia a aguilhoada nas patas. Tinha os pelos do focinho cobertos de gelo. Precisava fazer a ovelha levantar-se rápido, tinha de levá-la para limpar o filhote. E o cordeiro precisava de nutrição.

SAM RETIROU UMA garrafa de plástico com leite de ovelha que armazenara no refrigerador e descongelara, pondo-a com delicadeza na boca do carneiro. Tirou uma seringa do outro bolso, um revigorante vitamínico, para força e energia, e deu-lhe uma injeção. Rose continuava a trabalhar para fazer a mãe levantar-se, para que esta e seu filhote pudessem unir-se pelo faro e se conhecerem.

A ovelha começou a se mexer, com os olhos fixos em Rose, a qual não hesitou nem recuou, mas latiu e se lançou, mordiscou e manteve os olhos travados nos da outra. Esta fechou os olhos, reabrindo-os em seguida. De repente, assustada, a ovelha respirava ainda mais pesado, enquanto lutava para se levantar. A placenta se arrastou atrás de seu rabo.

Cuidadosamente, Sam deixou o cordeiro, aproximou-se para ajudá-la e puxou-a com delicadeza. Desorientada, em pânico, assim que se pôs de pé, a mãe tentou escapulir como um raio. Rose a deteve com a cabeça. Ela e Sam sabiam que, quando ovelhas fugiam, podiam esquecer o faro dos carneiros e abandoná-los. Isso não ia acontecer; *jamais* acontecera quando Rose estava lá.

A cachorra manteve a ovelha no lugar enquanto Sam acomodava o filhote ao lado da mãe. Em seguida, correu celeiro adentro e voltou com um pouco de água que continha adição de xarope com melado. A mãe lambeu-a avidamente enquanto o cordeiro buscava sua teta; e, aos poucos, ela parecia ganhar força, retornar ao mundo, tornar-se consciente do filhote.

Pôs-se a balir para o cordeiro. Agora protetora, virou-se, abaixou a cabeça para Rose, atacou-a, deu-lhe chifradas e pegou-a desprevenida.

— Cabeça erguida, Rose! — disse Sam.

A cadela às vezes era pega desprevenida com o vigoroso instinto maternal das ovelhas assim que entravam em ação e criavam laços com os filhotes. Era um momento que lhe exigia esforço e habilidade, pois as ovelhas, antes submissas, mudavam, e Rose se via de repente violentamente desafiada. Ela sempre recuperava o controle com o corpo, os olhos, os dentes e a sua feroz determinação, que acabavam por vencer a resistência da ovelha mais maternal, embora às vezes isso a deixasse escoriada ou capenga. Depois de algum tempo, elas se tornavam mais uma vez ovelhas e faziam o que se esperava que fizessem.

O veterinário disse uma vez a Sam que Rose pesava quase dezessete quilos e que qualquer uma daquelas ovelhas e carneiros, com cerca de noventa a cento e trinta e seis quilos, podia tê-la pisoteado ou a desfalecido com chifradas, mas os animais não sabiam que conseguiam fazê-lo. Rose tinha de certificar-se de que nunca soubessem.

SAM ERGUEU OS OLHOS e viu que começava a nevar levemente e o vento intensificava-se. Ele bufou de mau humor e apertou as mãos com força ao olhar o céu acima. Rose também ergueu os olhos e sentiu uma agitação em todos os seus sentidos.

Sam parecia-lhe diferente do que era antes, mais calado, não tão forte, nem equilibrado. Muitas coisas estavam diferentes desde a noite em que haviam levado Katie embora da casa.

O próprio mapa da fazenda mudara.

Ela vigiava Sam enquanto ele trabalhava em silêncio, decidido, ao enxugar o cordeiro. Assim que teve certeza de que a mãe sentia o faro do filhote, ergueu-o numa tipoia de pano. Era hora de pô-lo sob as lâmpadas de aquecimento e num montículo de palha. Ali, a mãe terminaria de limpá-lo, o acesso ao leite dela seria mais fácil, ele podia ficar aquecido e seco, e ela podia criar elos com o filhote, que era um macho, e conhecer seu grito. Os dois se aninhariam juntos e conversariam um com o outro numa linguagem independente, só deles.

Sam agora recuava para a escotilha, e a ovelha olhava frenética em volta. Rose manteve distância, um pouco afastada e atrás dela, a fim de não lhe provocar pânico, evitando que se encaminhasse para as outras ovelhas que continuavam vigiando do celeiro sobre estacas.

Mesmo assim, a ovelha precipitou-se alguns passos colina acima. Rose correu à frente dela e trouxe-a de volta. Repetiram isso duas ou três vezes, Rose e a ovelha, numa espécie de dança, a cadela prevendo aonde a outra ia e bloqueando esse caminho. Embora seu carneiro estivesse sendo levado naquela direção, não era natural para a ovelha afastar-se do rebanho e seguir para o celeiro, sobretudo com um humano e um cachorro. Apenas os instintos maternais intensificados da ovelha impediam-na de fugir. Isso e Rose diante dela, sempre que o animal olhava ou se virava para subir a colina.

Por fim, na entrada da escotilha, a ovelha imobilizou-se. Rose viu-a olhar colina acima e, em seguida, na direção de seu cordeiro. Percebeu que ela continuava pensando em precipitar-se como um raio para o celeiro sobre estacas, ao encontro de Blackface, da segurança e do conforto dos outros animais do rebanho.

Sam recuou celeiro adentro, certificando-se de que a ovelha o visse com o filhote nos braços. Abriu o cercado de parto, em seguida acendeu as lâmpadas de aquecimento e pôs o filhote no brilho cálido. O recém-nascido baliu, e a ovelha respondeu com outro balido, transpôs correndo a escotilha e entrou no cercado.

Rose manteve a mãe dentro até esta se instalar. A ovelha acabou por esquecer a pastora, empurrou o cordeiro com o focinho até debaixo da lâmpada e no feno. Começou a lambê-lo. Sam fechou e amarrou a cerca plástica do redil improvisado. A ovelha, exausta, deixaria o filhote mamar e, em seguida, os dois adormeceriam.

Sam afastou-se para verificar a fiação da lâmpada de aquecimento e trazer um pouco de feno fresco. Rose sentou-se e também se acalmou. Terminara sua função. Em menos de um minuto, porém, tornou a se levantar e se afastou, capengando de leve devido à chifrada no ombro.

— Tudo bem, menina — disse-lhe Sam, ao girar o feixe de luz em volta, para ver se as outras ovelhas prenhes aprontavam alguma coisa.

Rose não lhe entendeu as palavras, mas entendeu o tom de voz, de aprovação. E também as entendeu como o fim daquele trabalho.

Farejou o cheiro de leite quente e profundo da mãe, ouviu o ruído de amamentação. O mapa atemporal, uma compilação de incontáveis lembranças, experiências e imagens, estava como devia estar, e agora atualizado para incluir uma nova criatura.

Sam deslizou a porta e a fechou.

Rose seguiu-o até o portão e, então, deu uma corridinha em direção à casa. Sam encaminhava-se na frente dela, mas, nos degraus da entrada, a cachorra parou durante um instante. Algo a fez erguer mais uma vez os olhos para o céu ardósia antes da aurora.

Rose sentiu a aproximação da tempestade, farejou neve e ar pesado. Lembrou-se de outros temporais, da neve, do vento e do frio letal. Sentiu um lampejo de profundo alarme percorrer-lhe o corpo como um relâmpago. O pelo no dorso e no pescoço eriçou-se. O dono chamou-a, mas ela esperou um momento mais longo antes de acompanhá-lo ao interior da casa.

2

SAM SUBIU AO ANDAR DE CIMA, PARA A CAMA, E ADORMECEU QUASE instantaneamente. Rose dirigiu-se aos fundos do segundo andar e entrou num quarto vago usado para depósito, onde com frequência se enroscava numa cama de velhas toalhas e trapos, às vezes levando consigo um osso ou um graveto, embora em geral não.

Ele raras vezes entrava naquele quarto; era o aposento secreto de Rose, um lugar de sonhos. Talvez o único lugar em que ficava tranquila, afastada do trabalho. Em algum momento antes do amanhecer, quando a fazenda ficava em silêncio e Sam caía em sono profundo, como se encontrava agora, ela também se permitia dormir bem escondida.

AO PRIMEIRO canto do galo Winston, Rose levantava-se, pronta e alerta, para quando Sam acordasse logo depois e descesse. Pegava alguns pedaços de alimento de cachorro, moídos de forma grosseira, que ele lhe servira, mas se sentia perturbada demais para comer.

A manhã era cinzenta, ameaçadora. A neve caía leve, não convincente, mas Rose sabia que logo seria mais pesada.

Deslocou-se rápido pela sala de estar até a porta dos fundos da casa da fazenda, onde baixou os olhos para os pés de Sam e viu que ele usava as botas velhas. Ganiu um pouco de excitação, pois aqueles sapatos significavam que eles logo iriam trabalhar juntos.

Transpôs precipitada a porta, seguiu ao longo da cerca do pasto e até o portão. Sam caminhava atrás dela, com tanta agilidade quanto conseguia. Ela movia-se em círculos ao redor dele, sempre em movimento, olhava à esquerda e à direita, prestava atenção. Quando trabalhava, ficava com o corpo concentrado, ia de um lado para o outro com muita pressa; todos os instintos, sentidos e energia disparavam com intensidade máxima.

Esperava Sam no portão, com a cabeça abaixada, a pata direita erguida, pronta para seguir em frente. Ergueu os olhos para o líder do rebanho, Blackface, com os olhos castanhos que tinham uma dignidade e um porte diferentes dos de outros animais.

Blackface imobilizou-se, e as outras ovelhas fizeram o mesmo. Rose deteve-os ali para mantê-los afastados de Sam, enquanto este pegava os grãos deles. As ovelhas às vezes se precipitavam colina abaixo, corriam ao encontro de Sam, até o derrubavam, caso Rose não estivesse ali, cabisbaixa, com os olhos imobilizando-as no lugar. Se algum animal avançava centímetros, ela precipitava-se colina acima, ficava perto da cara dele e obrigava-o a recuar. Detinha-os até que o fazendeiro dissesse:

— Tudo bem, menina — e, em seguida, ela corria atrás dos carneiros e impelia-os colina abaixo para a manjedoura.

A essa altura, Sam teria ido embora, ficaria em segurança no celeiro.

Rose nascera com uma compreensão de que, no que se tratava do envolvimento de carneiros, ela jamais deveria hesitar. Se o rebanho alguma vez pressentisse que não se sentia segura, tudo logo degringolaria.

A pastora sentou-se perto da manjedoura durante a hora seguinte. Sam voltara para a casa da fazenda. Quando um carro parou, Rose latiu e Sam reapareceu na porta. Uma mulher, cujo perfume chamou a atenção da cachorra a certa distância, saltou e deu uma longa e avaliadora olhada na fazenda em volta. Rose aproximou-se a trote para desafiá-la, mas a mulher cumprimentou-a, murmurando-lhe o nome baixinho. Não estendeu a mão para afagá-la. Rose sentiu-se atraída pelas suas botas, as quais cheiravam a fezes de animal. Em sua mente, ela via um cavalo.

Sam aproximou-se da mulher de compleição robusta, que ficou à espera na entrada de veículos ao lado do grande celeiro, e deu-lhe as boas-vindas com um abraço. Começou a fazer uma série de ruídos, como muitas vezes fazem os humanos, gesticulava para ela, a qual parecia desconfortável no vento que se intensificava. Ele olhava-a direto nos olhos, pois esse era seu jeito quando falava com pessoas, mas ela desviou o olhar.

— SAM, EU SEI que este tem sido um ano terrível para você, por causa da perda de Katie e tudo o mais. Vamos tentar o melhor preço que pudermos.

Sam mudou a posição dos pés, fechou o zíper do moletom de trabalho e olhou acima através dos leves flocos de neve que caíam do céu cinzento. Ele e Katie vinham pensando em transformar as atividades comerciais de Granville Farm, localizada num vale das montanhas Adirondack meridionais, e começar a cultivar e vender produtos orgânicos. Os fazendeiros da velha escola sucumbiam, um por um, mas as fazendas orgânicas sobreviviam. A perspectiva de mudança deixara-os animados. Katie encomendara pelo correio o catálogo da Cornell University e pensava em fazer alguns cursos on-line sobre a nova economia agrícola.

Sam criava e vendia gado ovino e carne de gado bovino de corte, e enviava-a para restaurantes da cidade de Nova York com outros fazendeiros. Também alternava seus cultivos, com alfafa, batata, milho, entre outros.

Agora, porém, com a morte de Katie dois meses antes, tudo mudara.

Não tinha mais o tipo de energia que se habitou a ter. Não achava mais que tinha coragem de começar de novo, embora todo mundo lhe dissesse para levar o tempo necessário, esperar antes de tomar quaisquer decisões.

Tornou a dirigir-se à mulher.

— Sou-lhe grato por isso, Ginny. Ligarei de volta para você. Enquanto isso, a Empresa de Serviços do Fazendeiro Agway disse que vamos receber uma encomenda realmente grande lá do Canadá. Só espero que não falte energia elétrica por enquanto.

ROSE FICOU ao lado de Sam, de olho no céu, em seguida no rebanho, sem prestar nenhuma atenção aos ruídos que saíam das duas pessoas até ouvir a palavra “Katie”.

Sabia que Katie não estava na casa da fazenda, mas não sabia aonde ela fora. Vigiava à procura de Katie todos os dias, mas esta não se encontrava ao alcance de sua visão nem audição. No entanto, farejava-a, sentia-lhe o cheiro em toda parte da casa, nos pisos, nos armários e na cama, na cozinha, nas maçanetas de porta e nos puxadores de armário. Mas não conseguia colocá-la no mapa. Mesmo assim, ela estava ali.

Sam falava menos agora, movia-se devagar, trabalhava menos, sentava-se de modo rotineiro sozinho no sofá da grande sala diante do fogão a lenha. Rose muitas vezes vinha deitar-se perto do dono, mas ele não a tocava, nem ela aceitaria isso. Insistia num certo espaço entre si e todas as coisas vivas, a não ser quando batalhava com o rebanho.

Tinha, porém, consciência da grande tristeza de Sam. Sentar-se próximo ao fogão a lenha também se tornou parte de seu trabalho. Nessa nova rotina, estar com ele se tornara outra tarefa.

SAM E A MULHER continuavam a conversar lá fora. Rose agora prestava atenção ao tom, à tensão e à expectativa dele. Também sentia um desvio na consciência, uma excitação. Começava a tomar conhecimento de alguma coisa, senti-la: aquela ia ser uma tempestade volumosa, perturbadora. Seu corpo enchia-se de vigor quando sentia a aproximação da agitação atmosférica.

Sentia perigo no corpo, via-o na mente. E recorreu ao seu próprio tipo de memória, as imagens de muitas vidas em muitos lugares que ela trazia na cabeça, no coração e nos ossos.

Via montanhas de neve, sentia o frio de rachar, a desprezível força do vento hibernal deslocar-se pelos campos abertos.

Recordou a experiência de prender-se com garras acima da neve, de rastejar sobre e debaixo dela. Da comida enterrada em gelo, caminhos bloqueados por depósitos de neve, um pasto após o outro coberto de branco. De animais em luta, famintos.

Imagens voavam estrondosas, aceleravam-se, sibilavam e sopravam por sua mente. Como uma roda-gigante num parque de diversões, elas diminuíram a velocidade e cessaram.

A MULHER entrou no carro e se afastou. Rose e Sam ergueram os olhos para o céu.

— Eu detestaria deixar este lugar, menina — ele disse. — Vamos trabalhar.

Rose levantou-se, alerta.

— Vamos pôr um pouco de feno no celeiro sobre as estacas e retirar ração para os burros, vacas e galinhas. É o melhor que podemos fazer. Depois a gente vê outras coisas. — Com frequência, Sam falava dessa forma, em voz profissional, expunha as tarefas adiante, e assim ensinara muitas palavras a Rose. A maioria delas relacionava-se a Katie, carneiros, trabalho ou à fazenda.

Encarava os cachorros como muitos fazendeiros o faziam. Não julgava certo mimá-los nem os bajular. Eram animais e tinham um trabalho a fazer, assim como ele, e esperava-se que ambos o fizessem. Não levava fé em agrados e detestava as vozes alegres "alteadas" com que algumas pessoas falavam aos cachorros e recompensavam-nos, vozes que em geral faziam Rose achatar as orelhas e afastar-se. Ela adorava trabalhar e na mente do dono isso era recompensa suficiente. Respeitava-a, como acreditava que ela o respeitasse, e elogio não era necessário. Aprovação era diferente.

Cachorros não eram crianças. Vinham e iam, cuidavam de si mesmos, dormiam dentro de casa se o quisessem. Tinham vidas independentes.

Nesse momento, Rose ergueu os olhos para o rebanho na colina. Viu mais alguma coisa que a fez parar, imobilizar-se e rosnar. Avançou com os olhos apontados na colina, no pasto superior. Sam virou-se e tentou acompanhar-lhe o olhar.

— Que é aquilo... — Então parou. Viu-a também. Alguma coisa se encontrava erguida no extremo canto do pasto à direita, perto do portão. Rose, após emitir um rosnado baixo, começou a encaminhar-se para a subida em direção ao portão inferior. Sam seguiu-a e os dois continuaram a subida pela colina.

A um terço do caminho acima, ele viu o que Rose notara minutos antes. Uma pequena corça estava presa no portão do pasto, entalada entre a ponta de metal dele e a ripa de madeira da cerca, onde uma corrente grossa prendia o portão.

A corça tentara passar espremida pela abertura, provavelmente durante a noite, ao pressentir a aproximação da tempestade e em busca de alimento — e ficou ali. Tinha a cabeça voltada para eles e contorcia-se de modo lamentável, lançando os olhos de um lado para o outro como louca.

Rose subiu na frente de Sam, devagar, como sempre se movia na presença de animais selvagens. O dono não a chamou de volta nem a manteve afastada. A cachorra não era das que atacavam um veado, gambá ou guaxinim. Evitava-os se possível e, se não, rondava-os cautelosamente em círculos.

Quando Sam chegou mais perto do topo da colina, viu que sangue gotejava de um corte do nariz da corça. O animal era um pouco maior que um gamo novo e tinha os flancos esfolados com arranhões da tentativa de impelir-se através do portão. Sam estremeceu. Deve ter sido doloroso.

Aproximou-se com todo o cuidado. A corça começou a balir e agitar violentamente os membros para Sam e Rose, cuja aproximação intensificou-lhe o pânico. Sam sabia como podiam ser perigosos veados feridos ou colhidos em armadilha, quando golpeavam com seus cascos afiados. Pensou em ir pegar o rifle e atirar na corça para livrá-la daquele sofrimento. Tinha de aprontar a fazenda para a tempestade e não podia permitir-se ferir a si mesmo ou pôr Rose em perigo. Em vez disso, porém, continuou a subir em direção ao animal. Ao olhar-lhe os largos olhos castanhos, viu medo neles.

Não era um caçador, não conseguia entender a ideia de pegar um animal em armadilha, ou deitar-se à espera dele na mata e disparar-lhe um tiro. Não o incomodava que outros o fizessem, apenas não era uma coisa que pudesse ver a si mesmo fazendo.

Percebeu que, se conseguisse chegar perto o suficiente para estender o braço acima da corça, poderia erguer a corrente e o portão talvez se movesse para a frente e a soltasse. O animal tinha feridas sérias, e ele sabia que não podia deixá-lo ali. Tinha de libertá-lo ou abatê-lo.

Quando ele se aproximou, a corça chutou as pernas à frente e gritou com uma voz cortante, surpreendentemente alta. Arremeteu os cascos num chute semelhante ao movimento de uma tesoura e rasgou-lhe a manga do casaco.

Sam saltou para trás. Aproximou-se novamente, e a corça baliu e chutou de novo. Ele estendeu o braço para a frente uma dezena de vezes, mas simplesmente não havia como chegar perto o suficiente. Arrancou o galho de um bordo, tentando estendê-lo e com ele desacorrentar o portão, mas ela atacou-o com os cascos e partiu-o.

Todo esse tempo, Rose ficou atrás dele, avançava devagar e vigiava. Sam esperou para ver se a corça ficava à vontade com ele ou então cansada demais para lutar. Tentou falar com ela, lançou alguns gravetos com folhas mortas ao chão para distraí-la.

Depois de algum tempo, decidiu mudar o método. Mandou Rose não sair dali e, em seguida, desceu a colina até o celeiro. Rose se deslocou por alguns metros encosta abaixo, estendeu-se num agachamento e manteve os olhos fixos na corça, que se calou e fitou-a de volta. Parara, afinal, de lutar.

Sam retornou com um braço cheio de feno e também com uma velha espingarda Winchester .30-06. Jogou o feno no chão e apoiou a espingarda na cerca.

A corça não farejou nem comeu o feno.

— Vamos, menina — ele pediu. — Não vou machucá-la. Dê-me uma chance de livrá-la disso. Estou correndo contra o tempo.

Ele sabia que às vezes os animais reagiam ao tom de voz. Se ficasse calmo, eles talvez também ficassem.

O chão estava manchado de sangue.

Ele olhou para o rifle.

De repente, deu-se conta de que Rose avançava atrás dele, à esquerda. Os dois haviam participado juntos de uma centena de dificuldades, de gansos agressivos a carneiros reprodutores desenfreados, vacas em fuga, raposas invasoras, guaxinins raivosos e gatos selvagens ferozes. Ela sempre propunha um plano.

— O que a trouxe aqui, Rose? — ele perguntou, como se a cachorra pudesse responder.

Rose não olhou para ele. Estava concentrada demais na corça.

Sam viu-a se deslocar para longe e afastar-se da corça, rosnar e de vez em quando latir. Não conseguia compreender o que ela fazia, mas então viu a cabeça da corça virar devagar para a direita e desviar-se dele. Rose avançava devagar, aos poucos, e quando a corça lançou-lhe os cascos para golpeá-la, aos berros, Rose continuou a latir, deslocando-se de um lado para o outro, aproximando-se e afastando-se, mas se mantendo bem fora do alcance.

A corça se esquecera de Sam, os olhos travados em Rose, que continuava a se mexer e a fazer barulho. Sam viu uma oportunidade e avançou devagar, com a coronha da espingarda estendida na frente para repelir quaisquer chutes. A corça não desgrudou os olhos de Rose quando Sam, com a arma erguida, estendeu a mão direita e levantou a corrente do engate. O portão se abriu e soltou a corça.

Rose recuou para longe às pressas e Sam também. A corça, assustada, imobilizou-se. Então, num instante, virou-se e desapareceu no mato hibernal.

A cachorra e o dono ficaram ali, no topo da colina, olhando o sangue e o pelo deixados na estaca e no portão.

— Espero que ela se recupere — disse Sam baixinho.

Fechou o portão e tornou a prender a corrente.

Em silêncio, os dois caminharam de volta colina abaixo.

QUANDO CHEGARAM ao sopé, Sam foi para a casa da fazenda guardar a arma, mas mantendo-a à mão, e Rose sentiu outra precipitação de sangue, espinha abaixo e acima, e um aguçamento dos sentidos. Olhou em direção ao pasto, onde Brownie, o gigantesco touro jovem, encarava-a com seus enormes olhos castanhos. Ele era monstruoso; elevava-se sobre ela e até sobre Sam, parado bem acima das outras vacas e bois. Esperava.

Rose ficava à vontade perto dele e associava o nome ao animal, pois Sam muitas vezes o dizia próximo a Brownie. Sabia a essa altura que ele estava, assim como as outras vacas e bois, em última análise, condenado: ia morrer ou partir. Para ela, tratava-se de uma das mais claras lições de vida.

Também sabia como o fazer mover-se quando ele não queria sair do lugar, e Sam precisava que o fizesse. Se Rose se aproximasse rápido, mordesse-lhe duas ou três vezes num local logo abaixo dos joelhos e, em seguida, se lançasse para longe ainda mais rápido, Brownie, assustado, punha-se em movimento. A cachorrinha era magistral em aborrecer Brownie sem de fato deixá-lo em pânico, sobretudo visto que ele poderia ter-lhe esmagado se ficasse agressivo.

As vacas e os bois tinham sentido a aproximação da tempestade mais cedo, pela manhã. Todos os animais diminuíam a velocidade dos passos, retiravam-se dentro de si mesmos, preparavam-se e conservavam sua energia.

Sam surgiu da casa da fazenda e abriu o portão do pasto. Os carneiros sempre tentavam entrar no celeiro na hora da alimentação, porque sabiam que os grãos estavam lá. Rose não permitia. Permanecia na porta e encarava-os feroz. Os mais bravos deles avançavam pasto abaixo, porém não se aproximavam mais.

Um carneiro castrado deu um passo beligerante em direção a Rose, com a cabeça abaixada, desafiando-a a detê-lo. Ela se pôs em marcha colina acima e se encaminhou direto para o focinho dele, em seguida se lançou para agarrar um bocado de lã, o qual lhe arrancou da cabeça. O animal tornou a baixar o focinho, e ela mordeu-o no nariz. Assustado, ele recuou e desistiu.

De vez em quando um deles se rebelava, arriscava-se, dominado pelo instinto de comer. Mas nunca passava por Rose.

Quando Sam entrou no celeiro, apareceram das vigas as duas gatas, Eve e Jane, como sempre faziam. Rose muitas vezes as observava agarrar camundongos e brincar com eles, antes de matá-los. Para ela, as gatas eram homicidas num momento, namoradoras no seguinte, imperscrutáveis, enganadoras, escorregadias. Todo o trabalho que faziam consistia em matar, desmembrar a presa e depois brincar com as partes antes de espalhá-las ao redor. A cachorra captava a ideia de caçar muito bem, mas o lado selvagem dessas gatas ia além de sua área de compreensão. O território delas, as vastas montanhas de fardos de feno no celeiro, era um distrito na fazenda que Rose evitava. Um lugar de morcegos, camundongos e andorinhas-das-chaminés, um monte de adejos e movimentos leves e rápidos, não o âmbito de um cachorro.

Sam verificou a ração de galinha e puxou para baixo um saco da prateleira. Encheu a manjedoura até a borda, como sempre fazia antes de uma tempestade, e inspecionou a tina de água aquecida que as gatas e as galinhas usavam.

Subiu a escada até a plataforma que construíra para os poleiros das aves, para mantê-las acima do piso, sãs e salvas de predadores, o texugo, o guaxinim ou a raposa, que vez por outra talvez perambulassem celeiro adentro. As galinhas podiam pular para a plataforma e subir até os poleiros, os quais ainda eram largos o bastante para armazenar um pouco de feno e ração.

Havia uma janela do celeiro superior, logo acima dos poleiros, que Sam mantinha sempre fechada para afastar animais.

Eve e Jane desfilavam pelos corrimões de madeira. Rose ignorou-as, visto que não estavam sujeitas à sua supervisão nem autoridade. As gatas tampouco se interessavam por ela.

Pela janela, viu Brownie, que parecia curioso ao olhar para o celeiro. Às vezes, ele recebia um pouco de grãos, se Sam tinha tempo ou fazia um frio de rachar. Grãos davam energia aos animais. Do contrário, só feno.

Nada de grãos naquela manhã. Sam movia-se rápido demais ao preparar-se.

Winston, o antigo galo da fazenda, aproximou-se claudicante para ver se Sam deixava cair algumas sementes no chão. Raras vezes saía do celeiro nesses dias, tinha as pernas muito vacilantes, mas fazia muito barulho mesmo assim. Rose tratava-o com respeito. Ele era o animal mais velho na fazenda e vira bastante.

POR VOLTA DO MEIO DA MANHÃ, a neve leve que começara a cair na noite anterior enfraquecera. Sam sabia que logo recomeçaria com violência. Mas por enquanto fazia um belo dia. O celeiro vermelho-vivo era compensado pelo céu cor de ardósia. Embora ventasse e fizesse frio, Sam se movia pela fazenda com uma crescente sensação de urgência, enquanto se preparava para a tempestade. Ainda não comera nada naquele dia, mas não parou de trabalhar.

Um senso de prontidão estendera-se pela fazenda e em suas criaturas, uma quietude, uma formalidade, talvez. A notícia sobre a tempestade circulara entre os animais por meio de um entendimento próprio, algo que Sam vira muitas vezes antes. Os animais se agrupavam e erguiam o focinho e as orelhas para o céu. Os olhos abertos, vigilantes. O sentimento se alastrara para os bois e as vacas, as galinhas e os carneiros, para Carol, a mula, as gatas do celeiro.

Chegou até a se estender às três cabras, criaturas incômodas, vorazes, que suscitavam motivo para desafiar Rose toda vez.

Sam subiu a escada até o palheiro.

Empilhou alguns fardos perto da porta dos fundos do celeiro e abriu-a. Ligou o trator, engatou-o no vagão de feno, suspendeu ao interior mais vinte fardos e levou-o até o celeiro sobre estacas.

Retornou colina abaixo e encheu os tanques de água. Sabia que de nada adiantava retirar muitos grãos extras, pois os animais logo comeriam tudo, ficariam inchados e doentes, porém colocou mais que o habitual para dar-lhes energia e força. Pegou uma cesta de sementes de milho para as galinhas. Pegou um saco de ração de gato, abriu parte dele e, em seguida, ergueu-o até uma prateleira no celeiro. Tudo isso daria aos animais um ou dois dias extras se ficassem retidos ou se as manjedouras ficassem enterradas na neve.

As gatas, pressentindo algo incomum, subiram até o topo dos fardos para prestar atenção. Sam viu que Rose as acompanhou com os olhos.

Do lado de fora da porta do celeiro, a mula Carol zurrou, e as ovelhas haviam se agrupado, na esperança de encontrarem grãos, ansiosas por comer. Rose olhou-as furiosa e as tocou de volta colina acima. Carol encarou-a cautelosa. Dois anos antes dera inesperadamente um coice em Rose e quase a matara.

A mula fora maltratada e negligenciada durante anos antes que a fazenda onde ela morava entrasse em falência e Sam a acolhesse. Ela não tinha nenhuma verdadeira serventia na fazenda dele, embora Sam gostasse de afirmar que se tratava de um animal guardião. Era verdade que protegia o rebanho, sempre tomava o lado das ovelhas. E não hesitava em atacar um coiote ou cão desgarrado, caso se aproximasse.

Enquanto Sam verificava os removedores de gelo nos tanques de água, que podiam se desligar caso acabasse a energia, Rose se deitou e examinou o rebanho, verificando os animais um por um, desafiando os difíceis, lançando-lhes muitos olhares.

Sam tornou a entrar no trator, transportou palha para o celeiro sobre estacas e espalhou-a em volta, a fim de fazer forragem aquecida para os carneiros, e, em seguida, encheu as manjedouras de madeira. Enquanto ele dirigia, Rose corria ao lado do trator, latia para o veículo, tentando arrebanhá-lo, talvez, ou deslocá-lo para um local diferente. Sam deu-lhe berros para que se afastasse, mas esses eram comandos que ela ignorava ou apenas não ouvia. Sam nunca tinha certeza, embora tivesse suas desconfianças.

Como não havia espaço suficiente para conduzir o trator até o redil de cabra, que ficava no alto de uma encosta e além de um portão estreito, ele tinha de carregar o feno nas mãos. Fez meia dezena de viagens para acondicionar os fardos sob um telhado frágil de compensado de madeira. Desconfiou que a neve talvez os cobrisse rápido, o telhado fora projetado para proteger contra a neve, não contra rajadas de neve, mas poderia manter bastante neve distante de modo que as cabras talvez tivessem certa chance de desenterrar a comida.

Rose vigiava, mas mantinha distância. Tinha tão pouca utilidade para cabras quanto para as gatas do celeiro, e elas eram quase por completo incorrigíveis, ignoravam-na ou até a provocavam caso tentasse deslocá-las. As cabras eram potencialmente funcionais, parte da experiência de Sam com leite e queijo orgânicos. Apesar disso, ele as detestava quase tanto quanto Rose, pois eram barulhentas, desagradáveis e quase impossíveis de controlar. Constituíam um mundo à parte de seu gado de corte, que adorava nada mais que pastar quieto, longe, sozinho.

Sam também vendia espinafre e cenoura a mercados agrícolas em Nova York e em Filadélfia. Conversava com Rose enquanto eles trabalhavam, esboçando os planos comerciais que ele e Katie vinham desenvolvendo. A atividade agrícola precisava cultivar comida para sobreviver, além de criar vacas leiteiras.

Dizia que os fazendeiros tinham de mudar e que ele pretendia experimentar coisas diferentes. Sabia, claro, que Rose não entendia o que lhe dizia, mas gostava de ser consultada, ter sua atenção, e ela inclinava a cabeça atenta, como se captasse cada palavra.

Desde a morte de Katie, porém, Sam raras vezes falava com Rose sobre seus planos de trabalho, nem sobre outras coisas.

Ele raramente chegava a falar.

Pôs o acessório de engate do arado no trator e depois o conduziu de volta para dentro do celeiro. Se as previsões estivessem corretas sobre o tamanho e o rigor da tempestade, ele não teria condições de usá-lo pelo menos por alguns dias. Sam ouvira relatos de tempestades semelhantes, eram devastadoras, paralisantes. Caía tanta neve, e com tanta rapidez, que se tornava impossível levar feno ou água até os animais. Ele vira fotografias de animais de fazenda, congelados no terreno onde se encontravam famintos, com o frio a exaurir-lhes a vida.

À MEDIDA QUE AVANÇAVA a manhã e a tempestade se aproximava, os instintos de Rose entravam em ação, agitavam lembranças e imagens em sua mente. Ela imaginava, em seu diverso inventário mental, que os falcões, os guaxinins, as doninhas, os texugos, as raposas e os coiotes, oprimidos pela fome, poderiam circundar a fazenda, sondar a cerca, ser arrastados pela corrente, assim que começasse a tempestade.

Enquanto Sam estacionava o trator, Rose deitou a cabeça no chão, com o rabo curvado no alto à sua volta. Ela se perguntava sobre o velho cão selvagem que via muitas vezes correndo ao redor da mata. Perguntava-se onde ele estava e o que faria na tempestade.

Ouviu um ruído nas árvores ao longe. Não ficavam distante do celeiro, mas Sam poderia não o ter ouvido. Talvez houvesse sido o cão selvagem, ou um dos coiotes que haviam saído para caçar na noite anterior. Rose vinha sonhando com eles, ouvindo os suaves passos seguirem à noite.

Ergueu o focinho para a inundação de cheiros que era o mundo, e um deles se tornava mais forte. Farejava coisas que estavam do lado de fora, mesmo quando estava dentro da casa da fazenda, e conseguia absorver e separar odores a grande distância, nas matas e até nas tempestades. Quando os cheiros penetravam-lhe a percepção, surgiam imagens para corresponder a eles.

Mais cedo, captara o cheiro de neve e gelo no vento, em seguida de veado, depois, o velho cão selvagem correndo pela mata, depois ovos num ninho, uma centena de tipos de movimentos apressados, guaxinins, galinhas, pétalas de flores mortas e congeladas, folhas mortas, coelhos e camundongos. Alguns dos cheiros que farejava podiam estar a quilômetros de distância, e ela não necessariamente sabia dizer quanto eles estavam perto, mas sabia se um cheiro estava ao seu alcance.

Agora o cheiro começava a tornar-se mais claro. Era o cheiro de coiote, penetrante, bolorento, misturado com sangue, pelo, saliva, lama, grama e mato, todos os quais lhe passavam repentinos pela mente como imagens, quando ela os farejava. A julgar pelo cheiro, sabia que o coiote estava muito distante agora e embrenhado na mata.

Mas ele se aproximara bem do outro lado da estrada.

3

ROSE SABIA — EMBORA SAM NÃO SOUBESSE — QUE HAVIA UM COVIL de coiotes, na mata, do outro lado da estrada, quase na sombra da casa da fazenda.

Correu para a estrada ao lado da casa. Nunca parava para olhar se vinham carros ou caminhões, os quais ela registrava apenas quando lhes ouvia o barulho. Quando lhe chamavam de fato a atenção, Rose juntava-se aos veículos ou perseguia-os, depois tentava afugentá-los.

Sam ficava sempre agitado e insatisfeito quando ela estava perto da estrada, berrava-lhe para que voltasse ou parasse quando corria atrás de carros e caminhões. Rose não entendia o temor dele. Aquiescia a Sam e lhe obedecia as ordens quase instantaneamente, mas esse era um comando que muitas vezes desatendia. Seus instintos lhe sobrepujavam a experiência, até o bom-senso.

Por volta do meio-dia, começou mais uma vez a nevar. Rose pressentiu os pesados flocos de neve antes de alcançarem-na, ouviu-os caírem, bem do alto nas nuvens, e começarem a depositar-se no chão. Ao contrário da neve da noite anterior, esses flocos eram espessos, molhados, e caíam com um baixo sibilo. Ela ouvia-os como pancadas baixas, e eles caíam com mais rapidez do que o habitual. Começaram a grudar-se no caminho, o vento a intensificar-se e fazer os flocos rodopiar. Quando atravessava antes a estrada, conseguia ver a uma grande distância no caminho, mas agora, apenas um minuto depois, ela não enxergava mais que umas poucas centenas de metros. Enveredava na descida além do prado, através da neve torrencial, e embrenhava-se nas árvores.

AO CORRER PELA MATA, Rose ouvia guaxinins e vacas, e muito ao longe o latido de cães. Também ouvia o vento açoitar por entre as árvores, os ruídos da neve que caía, o deslizamento leve e rápido de animais sob a superfície do terreno.

Ouvia besouros, minhocas e morcegos sussurrantes nas árvores, coelhos adormecidos, os roídos de cupins, plantas que se encolhiam e mudavam. Além disso, carros, caminhões, tratores e aviões a grande distância. Enquanto corria, peneirava e selecionava constantemente os ruídos, organizava-os, calculando quais estavam perto e quais mais longe, o que era trabalho e o que não era, o que tinha importância e o que não tinha. Via tudo de que precisava e um pouco mais.

A floresta consistia num cata-vento de papel para ela, sons, visões e odores giratórios, coisas que rodopiavam e a estimulavam. Eram histórias que provocavam-lhe lembranças, excitação, e abriam-lhe a imensa e antiga biblioteca da mente.

Quando corria pela mata, muitas vezes no início da manhã ou tarde da noite, quando Sam dormia um sono profundo, era um estonteante e excitante mundo para ela. Nesses momentos, sentia-se viva, poderosa, em paz, as cores,

(SAC CAIXA)
www.caixa.gov.br

0800 726 0101
(informações, reclamações, sugestões e elogios)

0800 726 2492
(para pessoas com deficiência auditiva)

Ouvidoria
0800 725 7474
(denúncias e reclamações não solucionadas)

CAIXA

05106/2018

"Papel termossensível. A vida útil dos dados impressos é de 07 anos, mas é preciso tomar alguns cuidados: não exponha o papel à luz do sol, lâmpadas fluorescentes, fontes de calor, umidade excessiva; evite também o contato direto com materiais plásticos, óleos ou produtos químicos.

Serviço de Atendimento ao Consumidor
(SAC CAIXA)
www.caixa.gov.br

0800 726 0101
(informações, reclamações, sugestões e elogios)

0800 726 2492
(para pessoas com deficiência auditiva)

Ouvidoria
0800 725 7474
(denúncias e reclamações não solucionadas)

CAIXA

05106/2018

CAIXA ECONOMICA FEDERAL

0037 - TRINCHEIRAS, PB
DATA: 08/01/2020 HORA: 16:34:08
TERMINAL: 1093 NSU: 002045 AUT : 0000

COMPROVANTE DE SALDO

AGENCIA/CONTA: 0037/013 00052850-5
NOME: DANYELLI FARIAS DE OLIVEI

SALDO DISPONIVEL 290,92
SALDO BLOQUEADO 0,00
SALDO TOTAL : 290,92

Informacoes, reclamacoes, sugestoes e elogios
SAC CAIXA 0800 726 0101
Ouvidoria da CAIXA: 0800 725 7474
www.caixa.gov.br

Via Cliente

os gritos e os cheiros lhe afluíam, penetravam e absorviam-na. Rose lembrava, armazenava, selecionava. Conseguia recordar de qualquer um desses detalhes, e juntos eles criavam as mais belas e intensas imagens, vívidas torrentes de vida retratadas.

Não via apenas folhas, árvores e moitas, embora também as visse, mas sim muitas outras histórias para contar. Via cores vivas e claras, o clarão do Sol e a luz fria da Lua, e ouvia os ruídos de patas e cascos, o adejar de asas, a escavação de toupeiras, camundongos e esquilos com o dorso listrado, o rastejar de rãs e cobras. Ouvia gritos, chios, ganidos, os ruídos de parto, morte, pânico, fuga, os sons de folhas ao crescerem, morrerem e decomporem-se, deixando sua marca, às vezes individual, às vezes como uma massa imperceptível.

ROSE PROCURAVA o coiote, o líder dos coiotes, e sabia que ele também a procurava. Teria sabido da presença dela no segundo em que atravessara para a mata, e estaria ou não à sua espera.

Uma imagem repentina do primeiro encontro dos dois surgiu diante da cachorra. Acontecera quando ela era mais jovem, confiante em seu trabalho e força. Encontrara esse filhote de coiote perdido e desorientado na mata. Encarara-o, examinara-o com olhar crítico, olhara em volta para ver se via uma mãe. O animalzinho brincava, agarrava gravetos, atirava-os no ar, grunhia e corria em círculos, alheio ao fato que, afastado da matilha, corria perigo.

Rose vira uma raposa vigilante colina acima, rosnara, fizera-a desviar o olhar e repelira-a. Ficara imóvel, enquanto o filhote se aproximara mais, e ela o aninhara e o conduzira para as rochas onde sabia que se localizava o covil. Isso era algo que vira a mãe fazer — com ela e os outros filhotes.

Quando a mãe retornou ao covil, o animalzinho fora ao seu encontro, em seguida parou e virou-se para olhar Rose. Esse foi o momento em que a cachorra e o coiote passaram a conhecer um ao outro. Depois desse encontro, ela e o filhote estabeleceram um entendimento. A partir daí, eles se cruzaram várias vezes na mata, durante a estação.

ACONTECERA O SEGUINTE numa noite, bem antes de ela ter encontrado o filhote na mata. Era claro em sua mente, modelara-lhe a consciência. Lembrava-se disso com frequência e ainda tentava compreender.

Fora um dia muito diferente do anterior, quente e pegajoso, com um Sol brilhante que dera lugar a uma Lua quase cheia. A Lua iluminava o céu e a terra, salpicava a fazenda, a mata e os campos de sombras. Nenhuma brisa à vista, o ar parado, e ruídos e cheiros moviam-se livres e distantes pela noite. Como a maioria dos animais, Rose sempre se sentia inquieta quando a Lua era grande. Raras vezes dormia nessas noites.

Quando a Lua ficava tão grande assim, a floresta enlouquecia de atividades, coiotes, raposas, corujas e outros animais da noite emitiam sinais uns aos outros e à Lua, em pios, latidos e uivos. Rose adorava essa misteriosa e antiga sinfonia, e uma ou duas vezes erguera os olhos para a Lua acima, e também uivara.

Passara o dia correndo no calor, com a longa língua dependurada, e depois se sentara no córrego para refrescar-se. À noite, não conseguia sentir-se confortável na casa da fazenda fechada. Em noites quentes, ia com frequência para a varanda, onde pulava numa almofada na cadeira de vime e dormia, de vez em quando erguendo a cabeça na esperança de farejar uma brisa. Nessa noite, quando a brisa transportara os uivos do longínquo prado, ela quase decolara da cadeira, como se hipnotizada.

Saiu da varanda, saltou sobre a curta cerca da frente e rumou mata adentro para seguir os ruídos. Altos, brincalhões, eram quase logo respondidos por uivos, chios e latidos. Parecia que nessa noite eles a chamavam, e ela partiu para encontrar a origem.

Rose jamais abandonava seu trabalho: nada além da fazenda era melhor ou mais importante. Mas, naquela noite, trotou pela floresta hipnotizada pelos sons, tomou atalhos através das sombras, das moitas, do musgo, atemorizando as corujas e dispersando os camundongos. Continuou até a torrente que era rasa e fácil de atravessar às pressas. Jamais se afastara tanto da fazenda sem a companhia de Sam, no entanto não sentia nenhuma hesitação nem timidez agora. A sensação assemelhava-se quase a correr para casa.

Ao mesmo tempo, porém, a jornada deixava-a inquieta. Aquele não era seu mundo.

Em certo ponto, Rose diminuiu a velocidade e seguiu numa posição agachada profissional, prestava atenção, vigiava, farejava cuidadosamente, consciente de cada movimento, som e odor ao seu redor. Continuou devagar, quase num rastejo, tão baixinho que não ouvia a si mesma. Consciente da luz e das sombras projetadas pela luz brilhante, as orelhas para trás, o rabo abaixado e os olhos tão agitados quanto os de uma coruja. Ficou alerta, pronta para lutar, imobilizar-se ou fugir. Os ruídos eram próximos o suficiente agora para que ela soubesse o lugar exato onde se achavam. Estava perto.

Ela assustou alguns coelhos que saltaram através da moita diante dela. Depois de algum tempo, chegou a um prado largo e imenso, limitado em dois lados por um córrego. Aninhada sob um renque de árvores altas, viu o que viera ver. Ficou paralisada.

Não se aproximou mais, comprimiu-se grudada no chão.

Era uma grande aglomeração de coiotes, vários covis e seus filhotes, espalhados num semicírculo irregular perto do córrego. Tinha de todos os tamanhos, idades e cores, alguns castanho-amarelados, outros cinza-alourados, esbranquiçados. Alguns tinham rabo desordenado, alguns, espesso; a maioria exibia focinho pontudo. Alguns fora do círculo pareciam assustados e enfiavam o rabo entre as pernas, esquivando-se para a periferia do grupo, permanecendo perto da mata.

A maioria se agrupara bem junto ao córrego. Um animal jazia morto e desmembrado perto da água e, pelo faro, Rose achava que era uma grande tartaruga. Os filhotes latiam com voz esganiçada, perseguiam uns aos outros e roubavam gravetos e comida uns dos outros. As mães latiam e chamavam os filhotes. Alguns dos machos farejavam uns aos outros e o ar, erguiam os olhos para a Lua, latiam, ladravam, às vezes emitiam longos e lancinantes uivos que se elevavam pelo prado e depois se extinguiam na mata profunda.

Para Rose, pareciam despreocupados, alegres. Embora fossem emoções estranhas para ela, podia reconhecê-las por já as ter observado em alguns dos outros animais na fazenda.

Jamais vira a mãe brincar. Observara os irmãos brincarem quando ainda era filhote e reconhecia esses sentimentos, mas não compreendia o sentido, nem a sensação que causava. Não andava em grupo com outros cachorros. Não gostava de cabo de guerra, nem de agarrar bolas.

Sob a Lua quase cheia, que se refletia do córrego e iluminava o prado, os coiotes sobressaíam iluminados por detrás. Rose mal conseguia despregar os olhos deles.

Moviam-se em círculos, de um lado para o outro, lançavam gravetos no ar, corriam em círculos uns em volta dos outros, repetidas vezes, como se cada um soubesse aonde ir, o que fazer. Os mais velhos ficavam no centro e os mais jovens moviam-se de forma caótica na borda. Tinham uma velocidade estonteante, e os uivos e ganidos lancinantes e estranhos. Os olhos incandesciam, e eles babavam e se sacudiam, a saliva e o pelo voavam na luz.

Ficou claro para ela que isso não era trabalho, nem era um jogo, mas algo antigo, profundo e livre. Eles jogavam pedaços de carne para o ar e perseguiam-nos, fazendo uma pausa para compartilhar e rolar no aroma e no sangue.

Pela primeira vez, ela tinha certa sensação do drama da comida. A sua lhe era dada, mas os coiotes precisavam encontrar a deles, e isso, mais que qualquer outra coisa, era o que modelava a diferença entre eles. Rose tinha seu trabalho, mas comida era o trabalho dos *demais* ali.

Encarou imóvel o grupo por um longo tempo, quase até a primeira luz, e, então, recuou devagar até ficar segura, virou-se e começou a longa corrida de volta para a casa da fazenda, os ganidos e os uivos ecoando em sua mente.

Agora não seguia mais cautelosa; estava solta, segura para onde ia, sem medo de ser vista, dispersando as criaturas ńoturnas da floresta ao correr cada vez mais rápido.

Fazia cerca de um ano que se encontrara com o coiote filhote no caminho. Depois disso, quando Rose e esse jovem coiote se encontravam na mata, em geral por acaso, não se evitavam, como cachorros e coiotes faziam em geral. Sentavam-se e encaravam-se, às vezes durante minutos, e em seguida partiam. Não existia medo, nem agressão, nem receio entre eles. Haviam aberto uma brecha na parede entre as duas espécies, se ligado nas partes que eram as mesmas.

O coiote filhote crescera, tornara-se o líder de seu covil. Mantinha-se afastado da fazenda e também mantinha sua matilha distante. Como os cachorros, os coiotes entendiam as regras e, em geral, as seguiam. Embora fossem temidos e caçados, entendiam que caçar presa na mata, cervos novos, coelhos, perus, era mais seguro e mais fácil do que se aventurarem perto de humanos, cercas e cachorros.

NESSE DIA, com a aproximação da tempestade, imagens precipitavam-se pela mente de Rose, impelindo-a a sair correndo da mata. Numa tempestade assim, só havia uma regra: sobreviver. O jovem líder faria o que tinha de fazer para seu covil, e ela faria o que tinha de fazer para proteger a fazenda.

Ambos eram criaturas de trabalho. Ao contrário dos animais de fazenda, ela respeitava o coiote o bastante para ir encontrá-lo na mata, examiná-lo. Sentia curiosidade.

Ouvira, farejara e vira a prova do trabalho, ferocidade e competência do trabalho do coiote: ossos, pelo e sinais de luta por toda a mata e pelos caminhos perto da fazenda. Entendeu os rastros de corrida que de repente se interrompiam e as marcas de arrasto floresta adentro. Viu a habilidade de coiotes trabalharem juntos, de um modo diferente de qualquer um dos outros animais que ela conhecia, entre eles, os cachorros.

Animais de fazenda quase nunca trabalhavam juntos e eram, sobretudo, impotentes contra predadores que o faziam. Quase todos os animais de fazenda agiam de acordo com as leis do animal doméstico: lutar ou fugir. Se eles não conseguiam fazer nenhuma das duas coisas, simplesmente aceitavam sua sina e pereciam.

Ela via que, quando os coiotes saíam para trabalhar, funcionavam como uma unidade, com eficiência e brutalidade, e comunicavam-se claramente por meio de uivos, rosnados e latidos. Matavam rápido, partiam para a garganta, desmembravam, reuniam pedaços da presa e rebocavam-na para seus covis. Rose conhecia as histórias por meio dos ruídos, dos odores e dos rastros da mata. Imagens de suas vidas percorriam-lhe a mente.

Ela sempre corria com os coiotes na mente.

QUANDO A NEVE começou a se acumular nas folhas e nos galhos superiores das árvores e o céu escureceu, Rose chegou ao lugar onde esperava que o coiote a estivesse aguardando. Ela viu, sentiu, bem ainda de onde estava, que o coiote se achava ali e que ele sabia de sua presença. A cachorra parou e primeiro lhe examinou os olhos. Ele também lhe sentira a chegada.

Sentado perto de uma árvore caída, esperava-a, como Rose sabia que o outro faria. Ele também teria se conscientizado de sua vinda desde o segundo em que ela tomou o caminho que percorrera, teria ouvido e sentido através das patas. A tempestade fizera ambos sair.

Rose entendeu que esse encontro fugia à rotina. Em sangue e lembrança, ela era muito mais próxima de um coiote que de um carneiro. Mas o tempo em que trabalhava na fazenda aguçara um poderoso instinto protetor. Os coiotes ameaçavam o rebanho. Nesse sentido, constituíam um perigo. Por mais ligados que fossem os dois, suas vidas os levaram em direções muito diferentes.

Como todos os cachorros, ela se glorificava no conhecido, desconfiava do incomum. E sempre reconhecera a intensa reação de Sam aos coiotes. Na maioria das vezes, ele os ignorava, mas, quando de fato os via ou os ouvia, parecia zangado e ameaçado, ia pegar uma arma, agarrava uma lanterna, examinava cuidadosamente a mata e os pastos.

Sam reagia a esses animais de modo muito diferente do de Rose; no entanto, ela sabia que poderia facilmente ter estado com eles, ou não, como facilmente poderia ter estado fora da cerca, ou dentro, olhando para dentro da casa, em vez de dormir e comer, correndo de Sam em vez de segui-lo.

Essa diferença parecia muito maior para Sam que para Rose. O caminho da cachorra conduzia-a aos humanos e à lealdade a eles. A direção dos coiotes levava-os uns aos outros, onde estava sua própria lealdade poderosa.

Portanto, existia um entendimento, e por isso ela fora.

Já se viam mais de dois centímetros de neve no terreno e os ventos se intensificavam impetuosos. Rose encontrou os olhos do coiote. Eram amarelo-

-claros, luminosos mesmo à luz do dia. Grande para um coiote, ele tinha um suntuoso pelo, já salpicado de neve e gelo.

Ela sentou-se por alguns minutos, manteve o olhar do coiote e depois desviou o seu; farejou o ar, absorveu os cheiros e ruídos da floresta. Ao longo da mata, ouviu outros coiotes, no fundo de seus covis, arranharem, aspirarem. Sentiu a força da tempestade aproximar-se cada vez mais.

Fortes instintos a impeliram a sair e a embrenhar-se na mata. O filhote de coiote, o agrupamento no prado distante, a presença desse coiote na sombra da fazenda. Tudo isso lhe penetrara a consciência, definindo num modo elementar o que ela era e o que não era.

Não fora por motivos humanos: advertir ou ameaçar, sentir-se bem ou mal, feliz ou triste. Fora porque seu sangue reconhecia que a tempestade mudaria o entendimento que tinha com o coiote, a consciência um do outro, a curiosa ligação que lhes definiam as existências paralelas.

A tempestade punha em foco o que tinha importância. E ela não esquecia o que era importante, nem deixava de pensar nisso facilmente. Faria seu trabalho. O outro faria o dele. Tudo seria diferente.

Ele também desviou o olhar e em seguida tornou a dirigi-lo a Rose. Depois se levantou e afastou-se a trote, o corpo fundiu-se com a neve, antes de desaparecer. Logo, Rose não conseguiria ouvi-lo.

PASSADO UM MOMENTO, ela levantou-se de suas ancas e começou a retornar através do vento e do branco torvelinhante. A neve começava a empilhar-se agora e pequenas bolas aglomeravam-se em suas pernas.

Rose sentia agitação, a gloriosa excitação do trabalho. Sentia medo, o terrível espectro de fracasso na realização de uma tarefa, tão embebido em seus genes quanto a própria vida. Sentia obrigação para com Sam, de protegê-lo e de proteger a fazenda. E sentia amor. Por Sam, por Katie, até pelos carneiros e outros animais, e pela própria fazenda, sob seus cuidados, dentro dos limites dela.

Chegou ao campo visual da fazenda e absorveu o mundo que a circundava, através da neve. Acessou seu mapa, inventário, vida.

As ovelhas no celeiro sobre estacas começando a aconchegar-se. As cercas, os portões.

As vacas no pasto dos fundos se reunindo no curral.

As cabras, ruidosas e inquietas no redil.

O galo e as galinhas de volta ao interior do celeiro.

Sua responsabilidade para com todos eles, fazê-los superar as dificuldades até o fim, ajudar Sam, captar-lhe o sentido e ser-lhe útil.

VOLTOU-SE por um momento e olhou o caminho abaixo, como sempre, alerta à procura de sinais de Katie, a qual andava ali com frequência. Sabia que ela não estava na mata naquele dia, pois acabara de atravessá-la.

Mas Rose sempre olhava.

4

NO MEIO DO CAMINHO DE VOLTA PARA CASA, ROSE FEZ UM LIGEIRO desvio para o grande tronco derrubado na borda de um prado a pouco mais da metade do caminho em direção à fazenda. Já se achava coberto com uma fina camada de neve. O vento golpeava-lhe o focinho com flocos pesados e aumentava para um rugido constante. Mas ela se virou e foi até lá, de qualquer maneira, tocou o focinho no tronco e prestou atenção.

Katie costumava esperá-la ali. Sentava-se no velho tronco de carvalho e sempre tinha um pedaço de pão para Rose.

Mas hoje, nada de pão e nada de Katie.

Rose apontou o focinho em várias direções, inclinou as orelhas, ergueu a cabeça, prestou atenção, em seguida parou, sentou-se e fungou. Talvez Katie aparecesse. Não tinha o menor conhecimento de quando a vira pela última vez.

SAM NÃO APRECIAVA MUITO a nostalgia, mas adorava lembrar, e contar a história de quando Katie viera pela primeira vez à fazenda. Vigiara quando Katie, alta e magra, com cabelos castanho-escuros compridos, aproximara-se de Rose e tentara afagá-la. Advertira-a de que a cachorra, então com três anos de idade e apegada aos velhos hábitos, não gostava de ser tocada, nem sequer da aproximação de outras pessoas que não ele. Sam tinha razão. Quando ela estendera a mão para a cachorra, esta rosnara e mordiscara-a, como ele previra. Assustada, Katie afastou a mão.

Mas impressionou-o o que aconteceu em seguida. Katie calmamente recuou e olhou curiosa Rose, a qual baixou as orelhas e também recuou.

Sam repreendeu Rose com severidade, em seguida pegou uma bota largada no chão e atirou-a nela. No estilo de treinamento de cães por fazendeiros, como seu pai lhe ensinara.

Rose ficara surpresa, envergonhada, pois ele raras vezes a corrigia ou tinha motivo para fazê-lo. Mas Sam acreditava que havia um momento para isso na vida de qualquer cachorro, de qualquer animal, quando tinha de se estabelecer a autoridade de modo claro e vigoroso de uma vez por todas. Do contrário, eles sempre criariam problemas.

Tratava-se de uma coisa que ele não queria nem podia tolerar. Ela tinha de aprender isso. Rose era uma cachorra forte e às vezes precisava de uma forte orientação. Sam nunca hesitava em fornecê-la.

— Ela é uma boa cachorra, uma esplêndida cachorra, mas trabalhadora. — Explicou a Katie que cães que trabalham não constituem, na verdade, animais de estimação; nem sempre gostam de ser afagados ou mimados. — Rose se mantém concentrada. É a fazenda dela — ele disse e acrescentou que de pouco lhe serviam coisas que não envolvessem trabalho, nem sequer agrados ou brinquedos.

Tocar ovelhas e vacas ao redor não constituía um trabalho delicado ou fácil, explicou-lhe. Os animais não gostavam de ser intimidados por um cachorro.

Ela não era, disse, engraçadinha.

Rose vivia à procura de trabalho, o qual era a chave para seu coração. Amava pessoas que lhe davam trabalho ou trabalhavam com ela.

— De vez em quando — explicou Sam —, ela salta no sofá ao meu lado e me deixa coçar-lhe a barriga, mas não com muita frequência. E não faz isso com mais ninguém.

Sam observou quando Katie olhou para Rose e recebeu-lhe o olhar com um sorriso.

— Bem, temos um desafio aqui — ela comentou, e ele percebeu que Rose entendeu que a outra não tinha medo dela.

A cachorra parecia olhá-la com renovado interesse.

CERCA DE UM ANO DEPOIS, e após muitas visitas, Katie viera morar na fazenda. O mapa de Rose, assim como a vida, foi lançado ao caos, seus ritmos e rotinas perturbados e confundidos. Aquela mulher deixava-a nervosa. Não foi embora e chegou com coisas novas, móveis, roupas, novos cheiros. Conversava com Sam sem parar e passava tempo demais com ele.

Rose continuava a esperar que ela partisse, como faziam todas as outras pessoas.

Vivera sozinha com Sam durante a maior parte da vida na casa da fazenda. Katie nada tinha a ver com trabalho nem ovelhas, pelo menos não que Rose visse.

Mas Katie ficava no quarto de Sam à noite, por isso a cachorra não mais saltava na cama para informar-se sobre ele como às vezes se habituara a fazer. De vez em quando Katie dava-lhe de comer, mas Rose se recusava a comer da vasilha que ela punha no chão. Só comia quando Sam a alimentava.

Às vezes, erguia os olhos e via Katie a olhando, observando, sorridente, e, quando Sam não estava perto, a cachorra baixava as orelhas, desviava o olhar, até rosnava, na tentativa de fazê-la ir embora. Mas Katie não ia, e seus ruídos, cheiros e voz começaram a fazer parte da fazenda. Aos poucos, foi acrescentada ao mapa sempre em evolução de Rose e tornou-se parte da imagem do lugar. Se Katie estava com Sam, então ela era parte do trabalho de Rose. Isso a diferenciava de outros humanos.

Katie não a tocou de novo e, com o tempo, Rose parou de rosnar para ela. Habitou-se aos poucos com aquela pessoa, sua voz suave e baixa. Adorava rotina, padrões e, embora parecesse uma distração incômoda, começava a acostumar-se com a presença da outra.

ROSE PRESTAVA CUIDADOSA atenção a sapatos, e o tipo que Sam usava em determinado momento dizia-lhe se os dois iam trabalhar. Um dia Sam saiu da fazenda, e ela notou que Katie usava o mesmo tipo de botas que o dono quando ia ao pasto ou nos celeiros. Tinham estrume de ovelha. A cachorra olhou-a ansiosa e viu seus instintos confirmados quando Katie disse:

— Rose, vamos ao trabalho.

Ela ladrou e precipitou-se para a porta dos fundos.

Correu ao portão do pasto e esperou quando Katie, um pouco hesitante, abriu-o. Saiu disparada colina acima até o celeiro sobre estacas e, enquanto os carneiros se agrupavam num círculo, fez uma rápida ultrapassagem para trás dos animais e pôs-se a deslocá-los de um lado para outro, impelindo-os às manjedouras com feno abaixo. Jamais deixava o rebanho precipitar-se em direção a Sam, nem deixaria agora com Katie.

Quando os animais estavam nas manjedouras, Rose pressentiu algo de errado. Katie se fora. Ela ouviu o ruído da porta do celeiro abrir-se e, em seguida, um balde de grãos raspar o chão. Ouviu as vacas e os touros novos se deslocarem rápido — rápido demais — no outro pasto, do outro lado do celeiro. Uma imagem veio-lhe à mente: Katie arrastando celeiro afora um balde de grãos para o rebanho bovino. A imagem era errada.

Vacas e bois podiam ficar muito excitáveis perto de grãos. Sam sempre a fazia impeli-los para uma área de confinamento e mantê-los lá, enquanto ele fechava o pesado portão e punha a ração para fora, depois retornava e abria o portão para deixá-los correr até as gamelas. Era uma situação potencialmente perigosa, sobretudo para alguém que parecia ansioso e confuso, e Rose entendia a importância de parecer confiante e decisiva, acontecesse o que acontecesse. Os animais acreditavam que ela estava no comando, portanto estava.

Alguns dos bovinos jovens pesavam mais de novecentos quilos e podiam facilmente esmagar ou pisotear uma pessoa. Sam jamais ficava próximo desses animais sem Rose. Quando a cachorra percebeu que Katie estava sozinha no pasto lá fora com eles e um balde de grãos, a cena era tão diferente do modo como o dono o fazia que lhe atraiu a atenção e disparou um alarme.

Ela largou as ovelhas, contornou às pressas a quina e transpôs a porta aberta do celeiro. Corria rápido agora, direto além de Winston, que cacarejou e bufou de surpresa. Rose saiu a toda velocidade no outro lado. Viu que no meio do pasto, com um balde de grãos na mão, arrastando-se para a gamela, visivelmente alheia aos dois bovinos jovens e cinco vacas que se aproximavam dela por detrás, estava Katie.

Vacas não deviam deslocar-se assim tão depressa, jamais deviam ficar excitadas daquele jeito, nunca chegar tão perto de pessoas. Ainda não se tratava de estouro de boiada, mas podia tornar-se um a qualquer momento.

Rose latiu e viu Katie virar a cabeça. Depois correu diante dos bois e vacas, que haviam começado a mover-se a todo vapor. Precipitou-se para perto de Brownie, o maior touro jovem, mordiscou-lhe o focinho, surpreendeu-o e distraiu-o. Contornou-o num círculo e mordeu-lhe o rabo, fazendo-o bramir e virar-se, o que levou os animais atrás a diminuir a velocidade.

Surpresa, Katie deu um grito assustado. Reagiu rápido e atirou o balde para longe, os grãos derramados ao chão, e depois se encaminhou rápido para a porta aberta do celeiro.

Brownie abaixou a imensa cabeça para golpear Rose, mas esta se achava bem trás, corria em círculos e mordia. Passado um momento, correu para juntar-se a Katie no celeiro, e a porta fechou-se. As duas ficaram ali com Winston e as galinhas no canto escuro do celeiro, feno empilhado em toda a volta.

Katie estava com os olhos arregalados e respirava pesado. Olhou para Rose quando a cachorra sentou-se.

— Que está pensando? Que sou uma tola?

Rose inclinou a cabeça, de modo que as orelhas pudessem absorver esse som com mais facilidade, e ficou intrigada com o tom de voz. Não era um comando, nem uma reprovação, mas o tom deixou-a curiosa.

Katie se afundou num fardo de feno, e dessa vez a cachorra não se retirou nem rosnou, mas permaneceu perto e recebeu-lhe o olhar.

— Obrigada, Rose — ela disse baixinho, com um novo tom de voz.

Rose reconheceu-o como um tom afetuoso, um tom de elogio e apreciação, que às vezes ouvia de Sam.

Sabia que a outra tentava comunicar-se e, pela primeira vez, balançou o rabo e deixou-a estender a mão para afagá-la, lambendo-lhe a mão duas ou três vezes. Mas se afastou antes que Katie pudesse tocá-la.

— Ora, ora — disse Katie. — Então Sam acertou. Assim que alguém trabalha com você passa a ter um propósito neste mundo, hein?

AGORA, UMA VIGOROSA RAJADA de vento soprou neve e gelo no rosto de Rose, ela sacudiu-o para retirá-los, trazida de repente de volta ao presente.

Sentiu o vento e uma dormência nas patas, o que era raro. Um frio de arrepiar que lhe percorreu espinha abaixo a fez tremer, como se fosse verão e Sam tivesse apontado o esguicho da mangueira nela.

Rose virou-se do tronco e começou a trotar para casa.

5

QUANDO SURGIU DA MATA E CHEGOU à estrada diante da fazenda, Rose encontrou-a completamente coberta de neve. Desde que deixara a fazenda, instalara-se uma detestável ventania forte e repentina acompanhada de neve, a qual ficou mais óbvia assim que ela saiu da cobertura de árvores. A neve agora caía mais pesada do que a cachorra vira até então. Já se achava profunda o bastante para roçar-lhe o pelo na barriga.

Ela imaginou o rebanho de ovelhas e outros animais começarem a entrar em pânico, não porque a neve fosse tão profunda, mas porque caía tão espessa que se tornara semelhante a uma parede que tudo circundava. Os animais da fazenda não tinham visto tanta neve e vento antes e Rose sabia que nada os assustava mais que o novo.

Ao aproximar-se da casa, ouviu Sam berrar antes de vê-lo através da rajada de neve, no alto da colina atrás da casa. Ela apressou o passo. Quando chegou mais perto, conseguiu sentir-lhe o temor.

A VOZ DO DONO saía aguda e ascendente.

— Rose! Rose, onde está você?

Seguiu o chamado com um assobio lancinante, o outro sinal dele.

Sam sabia que ela fazia incursões vez por outra mata adentro, e nunca deu muita importância a isso. Mas, quando a chamava, esperava que estivesse ali, e na maioria das vezes estava.

Viu-a aproximar-se e entendeu de imediato o que estava errado.

As cabras haviam entrado de fato em pânico quando a neve se espessara e os apavorantes ventos elevaram-se com um uivo, como um imenso predador, o qual se materializou do próprio ar e atirou uma das manjedouras direto no cercado delas. Com tanto medo, os animais se arrastaram sobre o local e passaram pelo buraco aberto na cerca, depois seguiram colina acima.

Sam apontou ao pasto do gado bovino. Muitas vezes se comunicava com Rose pela indicação do braço, pois sabia que ela entendia. Rose acompanhou-lhe o braço com os olhos e absorveu o que ele apontava.

— Veja — disse, e ela o fez.

Era nesses momentos que seus sentimentos por Rose cresciam com muita rapidez dentro de si, às vezes quase o oprimiam. Achou que ela conseguia na certa sentir o que ele não dizia: vamos resolver isso juntos.

As vacas também haviam entrado em pânico, mas a maioria correra para o celeiro que podiam ver. Todas as ovelhas haviam se retirado no celeiro sobre estacas, onde se aconchegaram. Um pequeno grupo de vacas de corte, contudo, separara-se do rebanho pela neve, cegada pela repentina rajada de vento com neve e, assustado pela ventania que emitia gritos agudos, fugiu, irrompeu por um dos portões e rumou para o topo da colina a fim de abrigar-se sob um renque de árvores.

Embora as árvores estivessem agora desnudas e o sítio exposto à tempestade, ali era aonde as vacas sempre iam durante chuvas e temporais se deixassem o portão aberto. Representava segurança para elas, um abrigo, um lugar conhecido para ir quando ficavam confusas. Um lugar que sabiam estar ali, ainda que não o conseguissem ver de longa distância diante delas.

Sam precisou gritar através do vento que se intensificava.

— Rose, temos de encontrar as cabras e fazê-las entrar. Depois levar as vacas para dentro — ele disse e apontou para o topo da colina. — Qualquer um deixado aqui fora nisso se verá em apuros.

Sam esperava que logo os caminhos e pastos ficassem intransitáveis. Os ventos eram tão ferozes e a temperatura caía de maneira tão vertiginosa que ele duvidava que qualquer animal de fazenda sobrevivesse por muito tempo no descampado. Perguntava-se se os animais mais resistentes ao ar livre, como veados e coelhos, conseguiriam. Embora, assim como os outros fazendeiros, em geral prestasse pouca atenção aos meteorologistas e suas esquentadas previsões do tempo, ele julgou que dessa vez eles talvez houvessem subestimado muitíssimo a tempestade.

Viu Rose concentrar-se. Ela parou e, em seguida, correu disparada através da neve, por baixo do portão e colina acima. Habituara-se a crises inesperadas.

Poucos fazendeiros no município tinham cães trabalhadores; como Sam, supunham que treiná-los exigiria deles muito tempo e seria muito difícil. E os animais custavam dinheiro. Por isso, quando a reputação de Rose se espalhou, ele muitas vezes recebia telefonemas de outros fazendeiros, no meio da noite, pedindo a ajuda de Rose para lidar com vacas na estrada, cães sem dono, ovelhas dispersas em pastos, cabras tumultuadas.

— Rose, temos uma emergência de fazenda — ele dizia sorridente, e os dois partiam ruidosos na picape de Sam para resolver as coisas.

Ele adorava essas viagens, quando chegava para exibir Rose e ajudar um amigo.

Quando a chamava à noite, abria a porta da caminhonete, ela latia, rodopiava de alegria, saltava para o assento ao lado dele. E sempre se mostrava pronta para ir. E sempre resgatava, trazia vacas de volta aos celeiros, recolhia ovelhas perdidas ou desgarradas.

Sam não gostava de receber dinheiro dos gratos fazendeiros, mas tampouco queria insultá-los. A maioria deles sentia grande orgulho. Por isso, cobrava dez dólares por visita. Punha o dinheiro numa cesta na sala de estar e, sempre que a "bolada de emergência" de Rose chegava a trinta dólares, ele ia ao porão, retirava um bife congelado e grelhava um grande naco para o jantar dela.

Sam e os outros fazendeiros sempre se maravilhavam com o dom de Rose para resolver problemas, o talento para avaliar uma situação e reagir a ela. A rotina jamais variava. A cachorra saltava da caminhonete, examinava em volta, ajustava seu mapa, em seguida punha mãos à obra. Era como um policial florestal do Texas, Texas Ranger, ele dizia aos outros fazendeiros. Um distúrbio, um cachorro.

Houve uma noite em que um cachorro abandonado afugentou e perseguiu o rebanho de ovelhas de Kay Crank até o topo das colinas ao redor de Hebron. Rose embrenhou-se na mata acima e trouxe-as de volta. E a noite em que as vacas de Roland Hanks atravessaram a cerca caseira dele, de arame simples, direto para a Rodovia 22, uma movimentada rodovia cheia de caminhões e carros a toda velocidade. Foi uma situação perigosa, lembrou Sam, pois os animais moviam-se sem destino na estrada, difíceis de ver à noite, e Rose não podia reuni-los sem ela mesma lançar-se nas pistas.

Hanks, ele brincava, jamais parava de contar que Rose saltou da caminhonete, afugentou as vacas celeiro adentro, rechaçou os cachorros de fazenda histéricos e inúteis e restaurou a ordem em minutos. Ele se ofereceu para comprá-la de imediato, mas Sam disse que ela não estava à venda.

Sentiu-se desforrado, pois muitos fazendeiros gostavam de ridicularizar pessoas que pagavam dinheiro por cachorros.

NESSE DIA, a fazenda tinha sua própria emergência.

Rose levantou o focinho, ergueu os olhos, inclinou as orelhas e seguiu os rastros. Soube no mesmo instante onde estariam as cabras, bem acima da crista da colina e fora de visão, em busca de forragem de cascas e moita, ou escondidas do vento. Quase *sentia* onde elas estavam.

Olhou para Sam, que tentava desobstruir o redil das cabras de um pouco de neve, e em seguida partiu colina acima, através da nevasca, a correr e a saltar, além de abrir caminho por onde precisava. Levou dois minutos, mas logo ascendeu à crista da colina e chegou a um ponto do qual não via mais Sam abaixo.

Ali, afastadas na mata à esquerda, encontrou as três cabras mordiscando os galhos inferiores de alguns pinheiros. Elas baliram e se agitaram quando a viram, mas Rose sabia que as cabras, ao contrário das ovelhas, não eram animais de rebanho, nem se preocupavam em ser arrebanhadas. E tampouco gostavam de cachorros ou os temiam. Estavam acostumadas a desafiar cães.

Rose não conseguia conduzi-las com os olhos, como fazia com as ovelhas, nem as assustar facilmente como as vacas. Eram astuciosas e obstinadas e também não se opunham a lutar, rápidas para abaixar a cabeça e golpear com os chifres, ou expulsar com os cascos afiados.

A cachorra contornou o grupo de pinheiros para chegar por detrás dos animais e interceptar qualquer fuga mata adentro, onde poderia ser impossível fazê-las recuar. Tinha um sentido inato de como os animais se moviam, e sempre os antecipava em pressentir-lhes as possíveis direções. Se eles fugiam, em geral ela os esperava.

Em seu trabalho, ficava atenta a Sam, sempre sabia onde ele se encontrava e tentava manter quaisquer animais com que trabalhava entre ela e ele.

Vigiando-a cautelosas, as três cabras continuaram a mordiscar quase frenéticas o casco e os gravetos. Rose aproximou-se rastejando por trás delas até chegar a poucos metros de distância. Viu que estavam irritadas pelo vento uivador e pela neve que lhes entrava nos olhos e temeu que talvez fugissem. Sentou-se e vigiou, tentando resolver como poderia fazê-las se moverem.

Passado um momento, atacou o bode mais próximo de si, o líder. Ele se virou, abaixou de repente a cabeça e deu-lhe uma chifrada que a atingiu no lado do focinho. Ela ganiu e saltou para trás.

O animal fora mais rápido do que Rose previra.

A cachorra parou mais uma vez, absorveu a cena, em seguida se deslocou para a esquerda e livrou-se da dor perto do olho. Correu ao longo do rabo dele e mordeu-lhe o lado, e, quando ele girou, mordeu-lhe as ancas. Girou duas vezes e em seguida abaixou a cabeça.

Rose viu que os giros o haviam confundido um pouco. Ela fez o mesmo de novo. Em seguida, mais uma vez. O bode parecia menos seguro agora, menos agressivo.

Uma das outras cabras abaixou a cabeça para dar uma chifrada em Rose, mas esperou cautelosa quanto a iniciar o ataque. Rose lançou-lhe o olhar, um forte olhar de advertência. A terceira continuou a comer e vigiava-a nervosa. Embora caprinos não agissem em uníssono, Rose sabia que esses três eram muito apegados uns aos outros e detestavam ficar sozinhos. Iriam permanecer juntos.

Se ela conseguisse fazer um se mover, os outros deveriam segui-lo. Ficou de olho em todos e não se permitiu ser cercada. Esses animais tinham pouca paciência e intervalos curtos de atenção. Isso era a fraqueza deles.

Rose tinha grandes períodos de atenção e nunca desistia.

Ela recuou, abaixou a cabeça, começou a latir e rosnar. De poucos em poucos segundos, quando o macho começava a mordiscar a casca, atacava-o, mordia-lhe o ombro e em seguida, fazia-o girar de novo. Ele começava a cansar-se dos ataques. Preferia comer feno, em qualquer lugar, a tentar ser mais esperto do que aquela determinada criatura. Rose captou isso. Tinha de esgotá-lo. O bode desistiria. Rose, não.

As outras duas baliam alto, ansiosas. Ela parou, abaixou a cabeça, expôs os dentes, latiu com mais insistência. O macho surgiu mais uma vez para atacá-la, contudo a cachorra estava bem preparada agora, e ele não chegaria perto dela o bastante para dar-lhe uma chifrada de novo. Rose tirou o corpo de seu alcance, virou-se de repente e foi atrás da fêmea mais jovem, a mais tímida dos três.

Essa cabra gritou e Rose, após se certificar de que ela ficasse entre si e o redil, saltou para frente e mordeu-lhe o nariz, tirando sangue. Era um local sensível e isso logo punha ovelhas em movimento, mas atordoou e assustou a cabra mais nova, a qual se virou, queixando-se de modo alto e estridente, e em seguida se pôs a correr em retirada colina abaixo. Os outros dois ergueram a cabeça confusos, e a cachorra chegou por trás deles, lançou-se, latiu e mordeu. Pegara-os. Continuou a fazer isso por alguns minutos e, como sabia que iria acontecer, os animais acabaram por desistir da luta e vararam atrás da companheira na descida da colina, em direção à segurança de Sam, a quem associavam com comida e o redil que consistia no abrigo deles.

Saltaram agilmente pela neve, sobre o topo da colina, mais rápidos do que Rose conseguia correr através de depósitos de neve tão profundos rumo ao redil embaixo. Sam manteve o portão aberto e ela avançou atrás deles na descida pela colina, de forma constante e laboriosa, para garantir que lhe sentissem a presença nas costas.

Sam fechou o portão; terminado isso, ergueu os olhos para as vacas renegadas. Sem mais conversa nem comandos, Rose enveredou para o outro lado do pasto e o renque de árvores, onde as vacas se agruparam, mugindo e aconchegando-se em busca de calor, na tentativa malsucedida de sair do vento e da neve.

Viu que elas precisavam descer para o pasto inferior, pois o vento soprava feroz no topo da colina. Já conseguia sentir o calor desprender-se do próprio corpo.

Seguiu num agachamento e se deitou imóvel, enquanto vigiava Sam avançar pela tempestade para o pasto bovino inferior, onde ele cavou com a pá durante alguns minutos para garantir que o portão ficasse desobstruído. Fora aberto à força poucos metros pelos animais assustados pelo vento, e as vacas teriam saído por ali.

Rose adotou uma estratégia diferente com as vacas. Embora fossem mais dóceis, também eram mais perigosas que as cabras, sobretudo em pânico. Elas podiam com um coice matar uma cachorra, rachar-lhe o crânio ou pisoteá-la. Fora chutada algumas vezes e lembrava-se bem. Apesar disso, as vacas também eram mais tolas, mais vagarosas e muito mais previsíveis.

Rose se deitou bem colada ao chão e rastejou devagar adiante. Uma ou duas vacas a notaram e bramiram, mas, quando ela parou, tornaram a perder o interesse. A cachorra esperou até que Sam terminasse de desobstruir o portão. Quando ele acenou com a mão e gritou-lhe, ela inclinou as orelhas para captar-lhe a voz que atravessou o estrondeante vento e neve.

— Rose, traga as vacas aqui.

Ela avançou uns dois ou três metros acima e, em seguida, parou. As vacas, ao sentir-lhe o movimento, tornaram-se mais ansiosas e se agitaram. Rose moveu-se para a frente, devagar, cautelosa, então parou de novo. Mais bramidos, um pouco mais de confusão. Lançou-se para a esquerda, acima das vacas, mantendo-as entre si e Sam, como sempre.

De repente, porém, percebeu a falha em seu plano: os animais poderiam correr para mais longe colina acima, ou para o outro lado do pasto, pois se deslocavam através da neve com mais facilidade que ela. Se o fizessem, seria difícil trazê-los de volta daquela distância.

Observou-os atentamente, lia-os, examinava-os. Pensou à sua própria maneira, num triângulo. Sam embaixo, ela em cima. Na mente, optou por pressioná-los a descer, enquanto se certificava de flanqueá-los à esquerda e impedi-los de irem embora pelo lado.

Ziguezagueou abaixo e à esquerda, como um veleiro mudando de direção no vento. O grupo se deslocou um pouco acima, para longe de Sam, por isso ela mudou de posição, correu mais rápido que os animais, afastando-se num amplo movimento circular e mais distante colina acima.

Eles pararam de mover-se e voltaram para o abrigo das árvores. Rose rastejou devagar pela colina, com Sam não mais visível na neve. Esperou algum tempo, depois tornou a seguir adiante, com o máximo de vagar e silêncio que pôde. Logo se encontrava a poucos metros das vacas, as quais não sabiam onde ela estava nem a notaram. A cachorra percebeu isso pelo silêncio dos animais.

Em seguida, saltou para a frente, irrompeu dos arbustos acima das vacas, avançou com dificuldade por uma série de pingentes de gelo e as fez voar ao chão com um despedaçar estrondoso. Ao chegar abaixo de uma das vacas menores, pulou e mordeu-a na parte inferior, fazendo barulho e causando comoção o bastante no processo para as vacas pensarem tratar-se de uma matilha.

Elas ficaram devidamente assustadas e confusas. Correram e bramiram alarmadas. Fugiram das árvores e partiram colina abaixo, Rose em estreita perseguição latia, guinava à esquerda e em seguida para trás, sem dar aos animais na retaguarda nenhuma oportunidade de parar ou de se virar. Deslocava-se com tanta rapidez que parecia de fato ser uma matilha.

Logo o ímpeto das próprias vacas conduzia-as em frente para o terreno conhecido, e elas desciam pela colina num barulho retumbante, a velocidade diminuída apenas pela neve e o vento cortante nas faces.

Sam atirara um pouco de feno ao chão, e em alguns minutos os animais estavam de volta no pasto e o portão fora fechado. Satisfeitos, Rose e Sam pegaram o caminho de volta, por meio da mata, para a fazenda.

— Boa menina — ele disse apreciativo, mas também concentrado em outras coisas.

Faltava muito a fazer para deixar a fazenda pronta para o pior da tempestade.

Sam curvou-se e examinou-lhe a cabeça. Rose exibia a língua longa pendida e ofegava. O olho ficou levemente inchado após a chifrada do bode. As vacas não a haviam tocado nem machucado, e ela as impelira com bastante facilidade.

— Você está bem — ele disse.

Uma hora depois, arriscou-se de volta lá fora até o celeiro para tentar pegar o gerador sobressalente, quebrado havia mais de um ano, que agora mais uma vez funcionava, e também para transportar mais feno até os animais e ver se não poderia manter os caminhos desobstruídos.

Enquanto o esperava, Rose deitou-se na neve e se expôs ao vento e, por um breve tempo, fechou os olhos.

6

AO CAIR DA TARDE, À LUZ QUE ESMAECIA, OS DEPÓSITOS de neve começavam a empilhar-se em volta das paredes, troncos de árvores e saliências no terreno, e as rajadas eram tão fortes que sopravam Rose quase a ponto de suspendê-la das patas.

Ela ergueu os olhos para a paisagem alterada, e não encontrou nada na memória semelhante àquilo. A fazenda ficava na borda de um vale, campos largos e abertos por quilômetros, rodeados por colinas ondulantes e uma ou duas montanhas. Nada disso era visível agora. O mundo de Rose consistia em azul e branco, neve rodopiante acima e abaixo pelos pastos, o vento se tornou um rugido constante, a névoa desprendida era como fumaça saindo das colinas, enquanto a temperatura continuava a cair de maneira vertiginosa.

O vento desorientava-a. Por causa dele, tudo se movia, neve, troncos de árvore, depósitos de flocos que caíam, e o estrondo do ar tornava difícil para ela selecionar ruídos. Mesmo assim, seus sentidos começavam aos poucos a se adaptar, separando o movimento da tempestade das coisas que eram dali ou viviam lá.

Farejou um estranho odor no vento. Ergueu a cabeça, em seguida sentiu mais do que viu um animal perto do celeiro que não fazia parte da fazenda. Aquilo não era incomum. Quase sempre surgiam animais de um ou outro tipo, nos quais a cachorra tinha de ficar de olho. Mas quando foi inteirar-se das ovelhas, captou um cheiro de cachorro, conhecido, porém mais perto que o habitual. Reconheceu-o e concentrou-se no odor. Estava dentro do território dela.

Agora o ouviu mover-se. Embora grande, não era o coiote, nem qualquer outro coiote, não antes do anoitecer, não no meio da tempestade, não tão próximo.

Rose, ao seguir por trás da casa da fazenda, teve de virar a cabeça fora do vento. A neve cegava agora e ela precisou saltar sobre os depósitos maiores.

Nesse dia não se surpreendeu, como talvez em geral houvesse acontecido, ao olhar através da cortina de branco e ver o velho cão selvagem sentado perto do grande celeiro, paciente, tranquilo, com o pelo coberto de neve.

O cão olhava-a direto, mas não era um desafio, como muitas vezes são esses olhares. O dele ficou claro para ela: buscava abrigo, pedia para entrar e se proteger da tempestade. E esperava-lhe a permissão, como um gesto de deferência e respeito por ela. Não continuaria em frente sem seu assentimento.

Transmitiu a Rose, ela viu nos olhos, postura corporal, odor, rabo e ombros do recém-chegado, que ele não conseguiria sobreviver àquela tempestade na mata lá fora. Que se sentia cansado, enfraquecido.

Os olhos dela se encontraram com os dele, que a imobilizaram por quase um minuto completo. Cinquenta metros os separavam, a neve e o vento remoinhavam em volta dos dois. Dependia dela. Um tipo de olhar faria o cachorro desaparecer dentro do redemoinho, do vento e das rajadas de neve, e nunca mais tornaria a vê-lo. Outro tipo o faria segui-la aonde o levasse. Poderia rechaçá-lo com uma simples mudança de postura. Ele enviava-lhe sinais de que aceitaria isso ao não avançar, desviar o olhar, abaixar o rabo e as orelhas.

Ela poderia aceitar-lhe a presença e conduzi-lo para dentro do celeiro, onde ficasse seguro e seco, e onde encontrasse abrigo e, talvez, alguma comida. Inúmeras imagens precipitaram-se pela sua mente. Será que as galinhas, o galo e o rebanho de ovelhas ficariam seguros?

Por um instante, a neve caindo obscureceu-o. Quando clareou, Rose mais uma vez lhe examinou os olhos.

Conhecia aquele cachorro. Nunca estivera na fazenda, no entanto o cheiro e a presença dele lhe eram conhecidos havia um longo tempo. Não constituía uma ameaça para os animais. Viu que ele estava emaciado, as costelas protuberantes, os olhos injetados, o pelo emaranhado com gelo, gravetos e mato. Tinha a respiração fraca, irregular. O cachorro selvagem deixara de ser um predador, mas se tornara agora presa, sobretudo para os coiotes, soltos na mata. Estropiado e sozinho, não podia correr rápido nem lutar com força. Rose entendeu que se comunicava com um animal próximo ao fim da vida, o espírito esgotava-se.

Ela relaxou os ombros e orelhas. Ele podia abrigar-se ali.

Não ia desafiá-la, nem machucar ou buscar comida dos outros animais. Não tinha condições de mover-se livremente ao redor da fazenda. Ela não podia protegê-lo de humanos ou predadores. Tudo isso foi entendido.

O cão retribuiu o olhar, em seguida abaixou a cabeça e desviou-o. Aceitara. Cada vez mais ofuscada pelo vento e espancada pela neve que desferia golpes lancinantes, e sentindo, de forma atípica para ela, o ferrão do frio intenso, Rose conduziu o cachorro selvagem ao portão do pasto dos fundos. Ali, ela saltou sobre o depósito de neve, já na metade do caminho do topo da cerca.

O cachorro selvagem, cabisbaixo, seguiu-a devagar. Rose sentia-lhe a presença atrás, além da luta. Saltou para o outro lado, e ele avançou com cuidado, escorregou e quase caiu por várias vezes. Ela continuou adiante, viu as ovelhas se agitarem, reagindo à visão de um cachorro estranho, manteve-as no lugar com uma olhada, e, em seguida, os dois entraram pelo lado aberto da porta do celeiro. O recém-chegado seguiu-a para o interior, enquanto ela inspecionava o espaço. As galinhas fugiram para os fundos, e as duas gatas do celeiro desceram sibilando das vigas, mantiveram distância, demonstraram-lhes desprezo antes de esgueirar-se furtivas. Rose ignorou-as, como o fez o novo cão.

No alto da colina, as cabras baliam alarmadas diante da visão e do faro dele, o qual continuou a segui-la até os fundos do celeiro, abaixo das gatas que caminhavam em círculos, onde se estocava a ração dos bovinos, e passaram por Winston, o galo, que não temia cachorro algum.

Rose percebeu que ele manteve sua posição em parte para proteger as galinhas. Deu uma olhada no cachorro selvagem e depois nela, que demonstrava calma, e pareceu entender o que acontecia. A cachorra se assustou quando Brownie enfiou a imensa cabeça pela janela aberta do celeiro. Bois, em geral, não se interessavam por cães não interessados nele.

Ela e o novo animal abriram caminho até a prancha de madeira que cobria o compartimento de grãos, mas que raras vezes era fechada até o fim. O cachorro selvagem subiu com dificuldade, enfiou o focinho pela abertura e comeu faminto, parou para olhar Rose e certificar-se de sua contínua permissão. A anfitriã observou-o comer por vários minutos. Depois, saciado, ele se arrastou para uma pilha de feno, onde se deitou e fechou os olhos.

Assim que ele adormeceu, Rose sentiu que os animais ao redor aceitaram a presença do recém-chegado e se afastaram. O celeiro mergulhou na escuridão e no silêncio. As galinhas bambolearam de volta para os poleiros aquecidos, com Winston atrás, e Rose zelando por todos eles.

SAM ANTES o conhecera como "Flash", mas agora o chamava de "aquele cão selvagem", e Rose ligava-o a esse nome. Ela expulsara indiferente o cachorro da fazenda tantas vezes que isso consistia apenas em mais outra de suas tarefas. Até agora, ele nunca chegara perto da casa nem dos animais, o que lhe era curioso. A maioria dos cães abandonados tentava aproximar-se dos celeiros, das galinhas, de comida. Mas esse sempre observava da segurança da mata, e um olhar, latido ou rosnado era só o que se precisava para fazê-lo desaparecer.

Rose nunca o considerara uma ameaça, e jamais de fato o vira tão de perto. Mesmo assim, alguma coisa nele a atraía, alguma ligação confusa — um ar de domínio, dignidade, uma postura que sugeria autoridade e força. Parecia cuidadoso ao submeter-se a ela ali, no entanto havia algo desconfortável nesse papel. Ele era intrigante.

À parte, porém, de rechaçá-lo, como Rose fazia com cervos, guaxinins e outros cães selvagens, ela não tivera motivo algum para levar esse animal muito em consideração. O que acontecia além das cercas da fazenda era outro mundo, alguma coisa de curiosidade, mas não de importância, visto não se tratar de seu trabalho.

SAM, CONTUDO, tinha de fato motivo para examinar esse cachorro com mais cuidado. Era para ele uma história pessoal, porque o animal pertencera ao seu amigo Harold McEachron. Harold dirigira uma fazenda de gado leiteiro a uns dois quilômetros de distância no vale, e ele e Sam cultivavam juntos alguns hectares alugados, plantavam e aravam a terra, partilhavam equipamentos, trocavam fofocas, histórias de falta de sorte e novidades da vida agrícola. Harold era tenaz e um negociante durão. Mas também justo e honesto.

Flash era um cachorro trabalhador quando Sam o viu pela primeira vez, bem parecido com Rose. Um cruzamento de cão pastor com border collie, inteligente, agressivo com outros cachorros, tímido com a maioria das pessoas. Rigoroso e incansável, o animal arrebanhava gado e ovelhas e circulava com o fazendeiro em seu trator metade do dia.

Como Sam, Harold não tinha muito tempo para treinamento de cães, nem muito interesse por isso. Animais tinham de trabalhar para pagar as próprias despesas ou correr os próprios riscos. Mas ele adorava seu cachorro da mesma maneira que Sam amava Rose, e os dois eram inseparáveis.

Sam lembrava-se do enterro. Harold McEachron e a mulher, ambos mortos num acidente de carro cinco anos antes. Perguntara-se sobre o cachorro, conversou a seu respeito com os filhos de McEachron. Ninguém morava na fazenda, os animais criados na fazenda eram cuidados por fazendeiros vizinhos enquanto os dois filhos decidiam o que fazer com o lugar. Flash sempre dormira fora nos celeiros, mesmo no inverno, e não quis aproximar-se da fazenda depois da morte de Harold, nem deixava que ninguém se aproximasse dele.

Os filhos haviam visitado a fazenda durante dias, quando o chamaram, tentaram atraí-lo a entrar, mas disseram que o cachorro se tornara hostil, quase uma fera, vivia independente, revirava lixo em busca de comida e perseguia coelhos e galinhas como caça. Por saber quanto Harold amara o cachorro, Sam às vezes, quando tinha um momento livre, dirigia a caminhonete ao redor da mata em caminhos florestais de derrubada, corte, transporte de madeira e estradas de combate a incêndios e o chamava. Mas jamais conseguiu alcançá-lo, nem sequer chegar perto dele.

Nos meses que se seguiram, via-se o animal de vez em quando na mata e em pastos que circundavam a fazenda de Harold. Sam deixara um pouco de comida do lado de fora duas vezes, e essa havia desaparecido de manhã, mas ele nunca soube se foi o cachorro que a comeu, além de saber que era uma prática prejudicial deixar comida fora perto de uma fazenda, pois atraía raposas, coiotes, camundongos e ratos também. Depois de algum tempo, parou de fazê-lo, e parece que o cachorro se tornou cada vez mais selvagem, as visões dele raras e mais distantes. Sam detestava pensar naquele cachorro ao relento no inverno, à procura de alimento no frio de rachar.

O cachorro selvagem se tornara quase uma espécie de mito local, visto em toda parte, astucioso demais para agarrar. Passados dois anos, a família decidiu vender a fazenda, e Sam apareceu para ajudá-los a fechar o lugar e prepará-lo para mostrar. Surpreendeu-se ao ver o antigo Flash trabalhador correndo no pasto. Isso aconteceu apenas uma vez, e foi quando se ligou o trator de Harold McEachron.

Os filhos dele se mudaram, a fazenda cheia demais de lembranças dolorosas para eles, e nunca retornaram. O cachorro selvagem tornou-se apenas mais um animal bravio na mata, como os coiotes, linces e veados. Deixara de ser o tipo de animal que um fazendeiro toleraria perto da propriedade. Além disso, o cão estava decidido a permanecer na mata, e isso fora opção sua. Sam sabia que ocorrera o mesmo com cachorros trabalhadores antes, leais ao dono além da razão ou mudança. Sempre se perguntava o que Rose faria se acontecesse alguma coisa com ele. Que Deus ajudasse a pessoa que tentasse agarrá-la.

Certa vez, quando o localizara na mata próxima de onde as galinhas ciscavam à procura de bichinhos, Sam pegou a .30-06 e disparou alguns tiros no ar acima dele, com a intenção de afugentá-lo com medo, não o matar, e o cachorro de fato fugira, pelo menos saíra do campo visual. Pensou no velho amigo com certo remorso, mas sabia que Harold entenderia que não tinha outra opção.

Agora, o animal vivia mais como um coiote do que como um cachorro, ele pensou. Segundo as poucas pessoas que haviam chegado próximo o bastante para vê-lo, Flash mancava terrivelmente e tinha todos os tipos de machucado, cicatrizes de batalhas com guaxinins, coiotes e outros cachorros.

NESSE MOMENTO SAM ouviu uma comoção vinda do celeiro. Como a maioria dos fazendeiros, tinha uma sensação do conhecido, uma intuição meio semelhante ao mapa de Rose. Fazendas são íntimas, lugares pessoais, delimitadas por tarefas rítmicas, visões e sons. Sam conhecia cada centímetro da sua.

Tudo no lugar, os velhos prédios, cercas irregulares, gamelas, motores enferrujados, animais, portões oscilantes, o assobio do vento através das paredes do celeiro, tinha um ruído inconfundível para ele. A manhã soava de um jeito, a noite, de outro. Animais seguros e satisfeitos emitiam um tipo de barulho, os com fome e transtornados, outro.

Como Rose, muitas vezes Sam sentia mais que via ou ouvia as coisas, e, quando notou o excitado cacarejo das galinhas, o clamor das cabras, entendeu que acontecia algo diferente, que tinha alguma coisa fora do lugar.

Olhou pela janela, perscrutou através da neve e viu as ovelhas recuar nervosas para dentro do celeiro sobre estacas.

E não viu Rose. Nem lhe ouviu o latido.

Vestiu o casaco, calçou as botas e se encaminhou pela neve, vento e frio para o celeiro. Era o único lugar onde ela poderia estar. Se alguma coisa incomodara as galinhas, com certeza a cachorra iria investigar. Mas a essa altura tudo silenciara mais uma vez.

Sam tropeçou na neve gelada, recuperou-se e sacudiu a cabeça. A força bruta do vento e do frio, além da neve que aumentava cada vez mais, sugeria que para variar a histeria dos meteorologistas talvez fosse justificada.

Desengatou o portão, deslizou a porta do celeiro ao abri-la, acendeu a única lâmpada que iluminava o celeiro cavernoso e empoeirado. Parou. Viu Rose dirigir-se ao que a princípio parecia ser um cachorro morto deitado no chão. Esse levantou a cabeça, depois tornou a abaixá-la com cautela.

— O cão selvagem — disse com brandura. Cortou-lhe o coração a visão daquela criatura, o velho cruzamento de cão pastor com border collie de Harold McEachron, durante tantos anos uma sombra na mata, um rumor, agora deitado em seu celeiro. — Você está um caco — lamentou. — Mas não pode ficar aqui, meu velho.

As palavras lhe saíram cuspidas da boca, um reflexo de fazendeiro. Quase tudo de fora das cercas era um perigo ou um problema em potencial. Jamais seria uma coisa simples trazer um novo animal para a fazenda, sobretudo um cachorro selvagem no meio de galinhas e ovelhas.

Deixou-o pasmo o fato de que Rose o houvesse permitido.

Deu alguns passos em direção ao cachorro que rosnou baixo, mas nítido, e em seguida se calou. Rose deitou-se ao lado dele imóvel, quase rígida. Raras vezes olhava dentro dos olhos do dono, e ele se assustou ao vê-la encará-lo nos olhos agora.

— Você o deixou entrar, não?

Rose não se mexeu.

A última coisa que precisava era de outro animal agora, e muito menos de um cachorro velho e doente. Tentou entender o que acontecera; em geral, Rose afugentava cachorros abandonados e teria impedido qualquer cachorro de entrar na propriedade. Agora se deitava ao lado do velho cão de Harold, Flash, um animal que Sam quase dera por morto.

— Rose — disse baixinho.

Ela continuou deitada imóvel, mas desviou o olhar. O cachorro selvagem também permaneceu imóvel, com os olhos fechados, a barriga ondeando suavemente. Ficou claro que estava esgotado.

Sam inspirou fundo. Talvez não tivesse muito tempo para pensar com calma nas coisas, mas, quando o fazia, era cuidadoso. Olhou aquele animal leal e sentiu que devia isso a Rose. A fazenda também era sua. Levou-lhe em conta a dignidade, ali no celeiro, diante dos animais, e o orgulho. Ela nunca lhe pedia nada, e dava-lhe tanto, cada dia de sua vida.

Estava escuro no celeiro, mesmo com a lâmpada acesa, e todos se esboçavam em sombra bruxuleante. Desprendiam-se cheiros fortes do celeiro, feno, esterco, sujeira, animais. O vento emitia um som agudo do lado de fora e penetrava pelas ripas nas paredes. No interior, o frio era tolerável, mas mesmo assim cortante.

Sam saiu dali e se encaminhou de volta para a casa. Minutos depois, reapareceu com uma grande cumbuca de comida canina e largou-a no chão, perto do velho cachorro.

— Vejo você em casa — disse a Rose e tornou a partir.

Fora, a noite caíra e a neve rodopiava pela escuridão.

7

NAQUELA NOITE, ROSE SE SENTIA INQUIETA, MARCHAVA PELA CASA. De vez em quando, dirigia-se à janela do quarto no andar de cima, a que dava para o pasto. A alguns metros de distância, Sam dormia um sono intermitente na grande cama. Por volta da meia-noite, a neve se amontoara na altura dos vidros da janela no térreo, e ela não tinha mais como ver as ovelhas, embora conseguisse distinguir o contorno escuro do celeiro.

Ouvia o vento, a neve que caía, o mugido de uma vaca ou o chamado de uma ovelha ansiosa. Em seguida ouviu outro ruído, fraco, mas nítido para ela: tratava-se de grasnidos que saíam do celeiro. As galinhas, dorminhocas profundas nos poleiros, quase nunca faziam barulho à noite. E esse era um ruído de alarme.

Aconteciam coisas para as quais Rose acordava Sam, uma ovelha em trabalho de parto, animais fora das cercas, e tarefas que não fazia, as que constituíam seu trabalho, sozinha. Dessa vez, não latiu para ele.

Precipitou-se porta dos fundos afora e correu disparada através da neve.

Ouviu o que estava acontecendo, ao reconstituí-lo a partir do ruído um pouco mais alto a cada passo. Ouviu o prolongado regougo de um raposo, o cocorocó de Winston, o rápido e excitado cacarejo das galinhas.

Os depósitos de neve haviam aumentado desde que ela entrara em casa naquela noite, mais cedo. Rose arrojava-se sobre e através deles, arrastava-se com dificuldade e avançava com garra para o portão, e depois se contorceu ao sair por debaixo. Lançou-se pela porta lateral aberta do celeiro e entrou no espaço mal iluminado, onde o caos a recebeu. Não se viam as gatas em nenhum lugar. Penas espalhavam-se pelo piso do celeiro, pegadas e sangue na neve e gelo no cimento.

A princípio, pareceu-lhe que chegara tarde demais. Ela viu por onde um raposo devia ter se introduzido ali dentro, uma janela espatifada pelo vento acima do poleiro das galinhas. Na parte de trás do celeiro, construído num plano inclinado, o piso chegava quase às janelas acima, e a neve teria facilitado para o raposo percorrer o restante do caminho. Era um meio astucioso de alcançar as galinhas sem ter de transpor as portas principais do celeiro.

Percebeu que Winston teria sido o primeiro a ver o raposo esgueirar-se ao longo da plataforma, contornar os velhos fardos de feno, em direção ao galinheiro. O galo teria se lançado na frente das galinhas, uma das quais entrara em pânico e precipitara-se para o outro lado na tentativa de esconder-se num canto. Foi aí que Rose encontrou o raposo, a aproximar-se silencioso à espreita da galinha. Pressentiu que outras raposas deviam estar perto, à espera de um sinal dele. Fora daí que viera o prolongado regougo, um sinal.

Rose ouviu o cachorro selvagem latir, circular, e viu-o lutar, claudicante, sem condições de saltar. Sentia-se fraco e confuso. O raposo, pronto para a ação, encarava-o, calculava-lhe o tamanho de cima a baixo, mas ele não fugiu. Aquele cão não representava nenhuma ameaça.

Como sempre, chegou instantaneamente uma estratégia à mente da cachorra.

Winston tentava desesperado repelir o raposo e distraí-lo, ao inchar-se e emitir um cocorocó o mais alto possível. O cão selvagem latia, mas não podia aproximar-se.

O raposo, que poderia ter matado fácil Winston, não se deixou distrair nem enganar. Abaixara-se num agachamento, pronto para atacar, agarrar a galinha pela garganta e levá-la acima e para fora, transpondo a janela próxima. Winston inflou mais uma vez as asas e preparou-se para atacá-lo, para sacrificar a si mesmo, se necessário.

Rose hesitou e pensou em Sam, em disparar o alarme. Parte de seu trabalho era alertá-lo quando houvesse dificuldade. Mas não tinha tempo para chegar a ele. Sabia que, se saísse do celeiro, o raposo, cinza e astuto, eficiente e rápido, logo teria partido, pelo menos com uma galinha junto. Por isso, ficou.

Deslocou-se rápido, mas tranquila, pelo piso do celeiro, saltou num fardo de feno e para a plataforma que sustentava o poleiro. Relanceou o olhar para o cachorro selvagem e manteve-o atrás. O animal não era necessário. Ela sabia que ele não podia pular nem lutar, e seu latido contribuiria para enervá-lo, talvez até distrair o raposo.

Latiu, agachou-se, expôs os dentes, saltou num saco de ração para ganhar altura e, em seguida, disparou para o outro lado do piso escuro de madeira. Os poleiros, entre ela e o raposo, bloquearam-lhe momentaneamente a visão de Rose.

Então a guardiã virou-se ao contrário e encarou-o.

O raposo, por um instante, inseguro, girou, mas manteve sua posição, uma galinha circulava em pânico atrás dele. O raposo ficou atento e abaixado, com olhos brilhantes azul-acinzentados. E muito tranquilo, com os olhos fixos nos de Rose, analisou-a, avaliando a situação em que ele se encontrava. A cachorra viu que ele não a temia.

Às pressas, Winston contornou-a para ficar diante das galinhas, fazer uma última defesa, se necessário. Rose imaginou o raposo com um só golpe partir aquela oficiosa ave em duas, por mais galante que o galo fosse.

Avançou mais para perto, equiparando a frieza do raposo com a dela, uma antiga e ritualística dança. Era um teste de nervos e estratégia, não necessariamente de força e poder. Ela usava os olhos, sua arma mais incisiva, além dos dentes. Sempre lutava com criaturas maiores e mais fortes. Com os olhos, fazia-as parar, deixava-as indecisas.

Chegou a centímetros do raposo, que expôs os dentes, abaixou a cabeça e recusou-se a retroceder. Ele se arremessou contra ela, a qual recuou, rosnando devagar, constante, e em seguida se afastou para a direita do animal, o fez virar-se, enquanto andava em círculos ao redor dele num repentino movimento de arrebanhar, então se lançou adiante, mordeu-lhe o rabo e as ancas. Viu nos olhos do oponente que ele perdera parte da calma anterior, pois nunca vira esse tipo de movimento antes. Esperava uma agressão, uma luta.

O raposo lançou-se e mordeu-lhe o ombro, mas só arrancou pelo, e Rose abaixou a cabeça e rasgou-lhe a garganta, extraindo sangue e um ganido agudo. Em seguida, saltou para trás e se pôs mais uma vez a rondar em círculos, deslocar-se para o lado, encarando-o, e confundiu-o ainda mais.

Ela era esperta, escolhera bem sua abordagem. Ele não poderia ter adivinhado que Rose chegaria do lado oposto. O cachorro selvagem via-o, mas não podia atacá-lo, embora fizesse uma barulheira apavorante.

O raposo ouviu os latidos estrondosos e virou-se quando Winston bicou-lhe o rabo por detrás. Rose rosnou e abaixou a cabeça para atacar de novo.

O raposo recuou, olhou ao redor, calculou. Rose percebeu que ele se parecia muito com ela, que se movia da mesma maneira deliberada.

Aquele celeiro era diferente de suas habituais caçadas, um solitário ataque à espreita de um coelho, gato ou rato. A desafiadora, essa cachorra, era um animal estranho, comportava-se de modo errático e parecia determinada. Rose esperou. Não era preciso lutar. Ela quase conseguia ver o raposo tomar sua decisão. Por fim, devagar, de modo deliberado, o intruso virou-se, lançou-se com ímpeto num fardo de feno, em seguida pela janela quebrada afora e para a escuridão.

Winston inchou-se, cacarejou e a galinha correu de volta ao outro lado do galinheiro para ficar com as outras. O galo pavoneou-se orgulhoso num círculo ao redor do piso do celeiro.

O cachorro selvagem aquietou-se, e Rose olhou pela janela, a fim de certificar-se de que o raposo tinha de fato ido embora e que não havia outros. As pegadas já começavam a ser cobertas por neve recente, mas ela o ouviu seguir em frente pelos depósitos acumulados e acima da cerca. Examinou a galinha, a qual tinha uma ferida que sangrava um pouco numa das coxas. Viu que Winston não estava machucado e que ela mesma escapara intata.

Tornou a saltar da plataforma elevada até o piso do celeiro, onde o cachorro selvagem estava deitado ofegante no chão. Ficara exausto dos esforços para atacar o raposo. Ela tocou-lhe o focinho com o seu e ele se encaminhou para o feno, enroscou-se e imediatamente caiu no sono.

Rose retornou para a casa da fazenda através da neve. De volta ao interior, subiu sem pressa a escada para informar-se sobre Sam. Ele continuava dormindo.

Sam não tinha a mínima ideia do que ela fazia à noite. Quando a cachorra descobria alguma coisa errada, um predador, uma ovelha doente, uma cerca com rombo, latia ou rosnava para acordá-lo. Fora isso, as rondas noturnas só diziam respeito a ela, eram o seu segredo.

Às vezes, de manhã, quando ele se levantava, olhava-a e perguntava.

— E aí, como foi a noite, menina? Tudo tranquilo?

Mas sabia que algumas partes da vida dela eram só suas, e ele jamais saberia a respeito. E também que jamais veria ou captaria coisas que se passavam no mundo de Rose o tempo todo.

Nessa noite, ela observava seu mundo tornar-se branco, uma parede de vento e neve que se interpunha entre suas janelas e os animais do celeiro. Sentia a fúria da tempestade circundar-lhe o mundo em volta. O frio infiltrava-se ao redor da moldura da janela, assim como um pouco de neve pulverulenta soprada para o interior pelo vento.

Rose suspirou, sacudiu-se e deitou. Sam estava exausto do dia anterior, as longas e penosas caminhadas entre o celeiro e pastos, arrastar água e feno, verificar geradores, limpar portões, raspar gelo, retirar neve dos topos de telhado, chutar, remover com a pá e amaldiçoar a maciça tempestade. Aquele sono profundo revelou que ele estava tenso e esgotado.

À noite, no escuro, sentada perto de uma janela, imagens muitas vezes afluíam contínuas pela mente dela. Quando Sam adormecia e não havia trabalho a fazer, os ruídos da fazenda e o mundo além lhe penetravam a consciência. Ovelhas respirando. Vacas bufando. Gatos caçando. Morcegos voando.

Essa noite, vento e neve, vento e neve. Ela nunca vira uma paisagem tão lúgubre e agourenta, e isso agitava alguma coisa dentro dela e em sua memória. Nas horas muito escuras da noite, fechava os olhos, pensava em calor, em colinas verdes que ondulavam e sumiam da visão, em ovelhas estendidas quase até o horizonte e relvas curvadas no vento até onde a vista alcançava.

ROSE ABRIU os olhos. Ouviu um baque vindo de trás da casa e correu para uma janela nos fundos. Viu um pedaço comprido de cano de drenagem soltar-se do telhado, voar em direção ao pasto e dentro da escuridão. Rosnou.

Tempestades sempre a haviam assustado, sobretudo trovão e raio. O mesmo ocorria com os disparos de armas e barulhos repentinos. Eram inexplicáveis, e ela não tinha nenhuma percepção de como reagir a eles. Ela correu de volta para se inteirar de Sam, que continuava adormecido.

Farejou-lhe a perna, tocou-lhe o joelho com o focinho. Entrou na cozinha, tragou goela abaixo um pouco de água, comeu um pouco e espichou a cabeça para fora pela porta de cachorro.

Embora a neve já chegasse à altura das janelas do térreo, Sam construíra uma água-de-telhado para proteger a porta dos fundos, e a do cachorro, de neve e chuva. Rose ainda podia abri-la, mas, se saísse, logo iria ao encontro de uma parede de neve e depósitos.

Ouvia as ovelhas gritar para seus carneiros e umas para as outras, embora as vozes fossem abafadas pela tempestade. Mal conseguia ver o celeiro. Em segundos, ficou com o focinho coberto de neve. Tornou a puxar a cabeça para dentro e deitou-se. Fechou os olhos.

Fazia um ruído contínuo agora, um rugido de ar, além de um deslocamento de neve no telhado, e nada disso lhe era de conhecimento específico. Ficar deitada imóvel por tanto tempo tornava-se difícil para ela.

Rose julgou ter ouvido um movimento no lado de fora e correu de novo para a janela, mas dessa vez viu apenas alguma neve desprender-se e escorregar pelo telhado do celeiro abaixo, devagar, e atingir o chão com um baque.

Deu uma volta no andar de cima, de uma janela a outra, olhava lá fora, pouco via, ouvia o vento, atenta à neve, e sentia o frio. Prestou atenção em busca de outros ruídos dos celeiros e pastos, mas nada ouviu, nem sequer o queixume das cabras.

Sam se moveu no sono, virou para o outro lado. Ela saltou na cama, farejou-lhe a mão, e ele murmurou-lhe alguma coisa. Rose retornou à janela.

A tempestade deixava-a ainda mais alerta, hipersensível a ruídos e movimentos. Ela não entrava em pânico, mas ficava intensamente sintonizada ao perigo, e uma sensação deste se espalhava pelo seu ser, o corpo, que ficava tenso, até mesmo rígido, e a mente, que rodopiava. Uma tempestade fora, uma tempestade dentro.

AFINAL chegou o dia, embora não o sol. A tempestade golpeava mais forte que nunca, a casa da fazenda gemia no vento, e espessa neve nova ainda caía.

Sam desceu, fez café e depois ficou um longo tempo a olhar o exterior pelas janelas. Disse a Rose que iriam ficar dentro de casa, mas aguentou apenas alguns minutos antes de calçar as botas e pegar as luvas pesadas e a jaqueta com capuz.

Rose correu para a porta na frente dele, encarava-o em busca de instruções e comandos, ao inspecionar a fazenda e os animais.

Ele atirou feno para as vacas, rebocou um pouco num trenó até o lado de fora para as ovelhas. Cada movimento era difícil naquela neve. Sam desbastava o gelo nas gamelas onde os removedores de gelo haviam se quebrado ou simplesmente não podiam manter o trabalho em andamento.

Depois chamou Rose de volta para casa consigo. Ela se achava tão incrustada de neve que parecia um cachorro todo branco. Sam sacudiu o próprio casaco para desprender a neve antes de tirá-lo. Disse-lhe que ficasse, enquanto ele se sentava à mesa da cozinha, ambos ansiosos, mas sem condições de fazer mais. Avisou que nenhum dos dois devia sair na tempestade naquele momento, que ficariam em casa durante o dia se a nevasca continuasse a intensificar-se assim.

Rose aproximou-se devagar da porta dos fundos várias vezes, e em cada vez ele mandou que voltasse, na última meio severo. Nada mais de trabalho aquele dia.

Sem nenhum trabalho a fazer, Rose ficou à deriva. Ia de um quarto ao outro, de uma janela à outra. No quarto, ela encontrou um baú, e, quando pôs o focinho nele, farejou Katie, ganiu e abanou o rabo. Era uma cachorra silenciosa, latia às vezes quando trabalhava, mas raramente se lamentava. De vez em quando, de forma bem esporádica, uivava para a Lua cheia ou para o barulho de uma sirene numa estrada distante. Fora isso, raras vezes fazia muito barulho.

Desceu para o térreo, bebeu mais um pouco de água e comeu mais um pouco. Para ela, era difícil ficar parada; quando se movimentava, seus sentidos dominavam e inundavam-lhe a cabeça com imagens.

Deitou-se diante do quarto de Sam.

Uma hora depois, ele não aguentou mais ficar parado e voltou lá para fora, Rose, ao lado, tentava ajudar os animais, no esforço de manter as delicadas tarefas internas da fazenda em andamento.

OS FAZENDEIROS SABIAM como qualquer um a maneira pela qual age a natureza. Você podia planejar, plantar, martelar, pregar e administrar uma boa fazenda, dizia Sam muitas vezes a Katie, e ocorria uma inundação ou uma tempestade, e todo seu trabalho, todo seu meio de vida, ficava em risco bem ali.

Ele, contudo, jamais fizera ideia de uma tempestade como aquela.

Nem imaginara estar sozinho nisso, sem Katie. Perdera não apenas sua companheira, mas a família que haviam esperado ter, e não sabia se algum dia iria ter essas coisas de novo.

Em momentos assim, às vezes olhava para Rose, que sempre o observava, vigiava a fazenda, pronta para qualquer coisa, e agradecia a Deus por tê-la. Pensara a princípio que adquirira apenas um cachorro. Agora entendia bem demais que ela se tornara outra coisa, mais alguma coisa. Nem sequer queria pensar em ficar nessa fazenda sozinho sem ela.

Como todos os fazendeiros, continuava em frente. A pessoa fazia o que podia, até não conseguir fazer nada mais e o destino tomar o comando. Não se preocupava com isso nem se queixava da situação. Sam não desistia e tampouco Rose.

Ele trouxe para fora baldes de água quente e carregou-os para as gamelas. Deu mais uma vez a partida no trator e brevemente tentou mover a neve para abrir caminhos, de modo a poder transportar feno. Dessa vez viu que os depósitos chegavam à sua cintura. Cobriu o trator com a lona impermeabilizada.

Tinha apenas outra ideia para as gamelas congeladas. Retirou a unidade de aquecimento Salamander que a maioria dos fazendeiros usava no inverno para descongelar motores e máquinas congeladas. Funcionava como um pequeno motor a jato: uma poderosa unidade de aquecimento com motor diesel disparava por um tubo de um metro. Sam puxou o fio de ligação e saiu o disparo de uma chama, derretendo um pouco do gelo e da neve. Mas, assim que a desligou, a unidade tornou a congelar, e ele tinha pouco combustível para mantê-la funcionando. Abandonou as gamelas. Não podia continuar, e logo mal conseguiria sequer se manter de pé. As rajadas de neve, o vento e o frio violento tornaram o deslocamento a pé traiçoeiro, deixaram-no dormente, encharcado, em seguida a tiritar de frio. Fazia um tempo que causava ulceração. Percebeu que aquele não era um tempo para homem ou animal selvagem. Hora de entrar.

Puxou para fora tanto feno quanto pôde, e estavam cobertos de neve e gelo. Sua pá era inútil. Suas máquinas ficaram rapidamente deterioradas. Ele não podia manter-se.

Recuou para dentro novamente, chamou Rose e mais uma vez disse-lhe para ficar lá. Era início da tarde agora, mas parecia que eles estavam indo e vindo num vaivém entre mata, pastos e a fazenda durante dias. Lá fora era um verdadeiro "branco total", e ele estava perdendo o controle não só do tempo, mas de onde estava.

Sam sabia do perigo da situação em termos físicos e mentais. Precisava lembrar-se de que estava sozinho ali. Estando sozinha numa fazenda remota como aquela, mesmo com Rose, a pessoa tinha de cuidar de si mesma, permanecer concentrada. O tempo tornava-se indistinto, a diferença entre dia e noite poderia desaparecer e o silêncio oprimir.

Resolveu de uma vez por todas ficar em casa e manter também Rose dentro.

FOI CURIOSO, pensou, o que aconteceu em seguida. Ele entrou na sala de estar, pôs fragmentos de madeira no fogão a lenha, retornou à cozinha, ligou o rádio e fez uma xícara de chá para si mesmo. Katie adorava chá, mas ele quase nunca o preparava sozinho e muitas vezes ficava confuso com todas as opções e cores dos sachês. Escolheu um amarelo, botou-o na xícara, virou-se para o fogão elétrico e esperou a água ferver.

Olhou o relógio e experimentou o celular, mas não conseguia sequer um sinal. Ergueu o telefone, porém estava mudo. Pelo ruído do vento, logo ficaria também sem energia. Teve certeza de que muitas árvores não sobreviveriam à tempestade.

Rose sentou-se no corredor perto da porta dos fundos e encarou-o atentamente, como sempre, à espera para ver se havia uma chance de que ele saísse para fazer algum trabalho. Ela olhou-lhe os pés e viu as grossas meias de lã, o que significava que o dono permaneceria em casa. Notou-lhe a parca com capuz ensopada, pendurada num gancho, em seguida o observou preparar o chá. Sam reparou que ela o olhava curiosa e se deu conta de que raras vezes, se alguma vez, o vira perto do bule de chá no fogão. Aquele era o território de Katie.

Sam retribuiu-lhe o olhar e viu-a contrair o rabo. Parecia inquieta, pensou.

— Sente saudade de Katie, não, Rose? Eu também.

À menção de Katie, Rose se agitou. Correu para a sala de estar, examinou em volta e, em seguida, galopou até a porta da frente. Ao retornar, tinha a expressão alerta e expectante.

Sam lembrou-se de parar de usar o nome de Katie, pois simplesmente disparava Rose à sua procura. E apenas a deixava decepcionada.

Casas de fazenda sempre acabavam por ficar cheias de rastros de lama, água ou pior. Poucos fazendeiros tinham dinheiro ou vontade de decorar. O dinheiro que tinham ia para o exterior, os pastos, celeiros, maquinaria e animais.

Katie pretendera livrar-se do velho papel floral laranja, não chegara a fazê-lo antes de adoecer, embora de fato conseguisse que se arrancasse o teto manchado de telha termoacústica e pintasse de branco suave o reboco bruto. Ela fizera planos para o restante da casa, mas depois de sua morte Sam perdeu todo o interesse por melhorias.

A sala de estar, como na maioria das casas de fazenda, tinha três sofás, o verde grande direto diante da lareira, os outros o ladeando, as poltronas de orelhas e uma mesa no meio. No inverno, as salas de estar eram importantes, um lugar para a família reunir-se e manter-se aquecida. Nesse cômodo, Sam e Katie passavam as noites. O sofá verde e as duas poltronas superestofadas haviam pertencido aos avôs de Sam, como também o atiçador de metal apoiado diante da bela lareira de ardósia verde e azul. Dois abajures de pé e dois de mesa, um com vidro verde e o outro vermelho, iluminavam o aposento, cálido, até íntimo e confortável, embora um pouco desgastado. Três vasos vazios ficavam em duas mesas laterais de mogno, comprados pelos pais de Sam.

O grande sofá diante da lareira, onde ele e Katie sempre relaxavam no inverno, era o lugar mais quente na casa, sobretudo com a lareira acesa. Na alcova entre a sala de estar e a cozinha havia um fogão a lenha, bom para as noites mais frias e mais fácil de pôr em funcionamento do que a lareira. Conseguia tirar o vigor gelado daquela sala ventosa em dez minutos.

Viam-se dois novos quadros a óleo de celeiros e pastos acima dos sofás, também obras de Katie, e três prêmios emoldurados do reconhecimento municipal da limpeza e boa administração da Fazenda Granville. Um citava o pai de Sam como o Fazendeiro do Ano, 1964, e o outro, Sam em 1992.

Na prateleira acima da lareira, havia três fotografias: os avôs de Sam (a imagem rachada e amarelada), seus pais (meio desbotadas) e uma mais nova, nítida, de Katie e Sam ao se casarem na igreja presbiteriana da cidade.

Em seguida a essa, uma fotografia digital só de Rose que se movimentava em círculos atrás das ovelhas no pasto principal. Sam adorava-a, era a única que tinha de Rose, que jamais parava imóvel para posar. Parecia desgostar da câmera, sempre desviava a cabeça para longe das lentes.

Um tapete quadrado vermelho e preto suavizava a sala e abafava o barulho do piso arranhado de carvalho. Rose sentava-se junto à lareira no inverno, e quando essa ficava quente demais, mudava-se para a cama de cachorro perto do fogão a lenha. Fora isso, ela gostava de rastejar para debaixo da cadeira estofada de azul que oferecia espaço suficiente apenas para perscrutar a sala, mas escondia a si mesma, com exceção do focinho. Dali, ela monitorava a casa e arrastava-se para sair, se Sam se encaminhasse para a porta dos fundos ou pusesse as botas ou o casaco.

Ele atiçou o fogo, em seguida se sentou e fechou os olhos com um suspiro. Sentia cada junta no corpo em chamas, os joelhos doíam, os dedos dos pés continuavam dormentes do frio. Ouvia o rugido do vento e o ruído da neve ao atingir as janelas e desprender-se deslizante do telhado. Chamou Rose para a sala, e ela chegou num trote, acomodou-se, com os olhos fixos nele.

Sam se esquecia de si mesmo de vez em quando. Era, afinal, apenas natural estender a mão para afagar uma boa cachorra.

— Essa tempestade é ruim. Vai de fato nos fazer mal — disse. — Às vezes, eu gostaria que você falasse.

Embora a neve se intensificasse ao extremo no lado de fora, era quente, até aconchegante, na sala. O lampião na mesa junto ao sofá emitia um brilho avermelhado por todo o aposento. Sam sentiu certa paz pela primeira vez em dias, e previa que talvez não tornasse a senti-la por algum tempo.

— Quando isso terminar, vou comprar para você um daqueles discos de plástico — disse. — Talvez mais alguns brinquedos. Teremos um pouco mais de diversão.

Sorriu para Rose e para si mesmo. Sem chance, pensou, de vê-la correr atrás de um disco. Para ela, o trabalho era a única diversão.

Continuava a observá-lo atenta, a cabeça inclinada, o rabo a bater suavemente no soalho.

Ele desistiu de tentar tocá-la, não haveria nenhum aconchego no sofá, e viu quando aqueles olhos brilhantes travaram-se nos dele. Sorriu-lhe, enfiou a mão no bolso e atirou-lhe um biscoito encharcado que estava ali havia algum tempo. Ela encarou-o como se fosse uma pedra, e Sam fez que não com a cabeça.

— Que tipo de cachorra é você, afinal? — ele perguntou baixinho, e logo fechou os olhos para ir dormir.

SAM DEIXARA ROSE confusa. Em pé, onde ficava Katie, despejava água num copo que a outra muitas vezes usava. Ela reconhecia o nome de Katie quando ele o proferia e punha-se a caminho para encontrá-la, encontrá-la em nenhum lugar. Intrigou a cachorra ouvi-lo falar-lhe o nome e, no entanto, ela não conseguia encontrá-la. Em seu mapa, a maioria das coisas destacava-se nítida e clara. Katie não.

Em seguida, ele se mudou para o sofá diante do fogo e chamou-a para ir até ali. Falou com ela, mas não deu quaisquer comandos que Rose reconhecia e disse poucas palavras que conhecia. A voz saiu branda, e ela identificou afeto. Sam continuou a olhar a neve pela janela, e a cachorra percebeu pelos sentidos que o dono lhe falava a respeito, tentava comunicar-lhe alguma coisa.

Ela ficou perturbada. O vento quebrava galhos em toda a mata e pastos, a neve caía de celeiros, árvores e do telhado da casa da fazenda. Para Rose, o vento era quase ensurdecedor e às vezes parecia que ia engolir a fazenda inteira.

A neve que deslizava do telhado enervava-a, embora Sam não a ouvisse no vento. Tinha muita consciência da força da tempestade. Essa era diferente, e ela sentia-lhe a ameaça, além das reações de todos os animais. Tratava-se de uma coisa perigosa.

Ouvia as ovelhas falar baixo entre si, as vacas grunhir e chamar umas às outras, as galinhas cacarejar baixinho no sono, Carol bufar ao esfregar o focinho pela neve em busca de feno. Ouvia os coiotes ao relento na mata, no meio da tempestade, caçando. De todos os ruídos, a neve a cair era o que mais a assustava, e ela queria ir ao andar de cima e se enfiar agachada debaixo da cama de Sam, para onde ia durante temporais com trovões. Mas não podia deixá-lo ali.

Examinou-o com atenção, o focinho virado para ele, farejando a tristeza e o sofrimento, o pesar que brotara de dentro do dono havia algum tempo e fazia agora parte cotidiana dele.

Sam estendeu-lhe a mão e ela instintivamente recuou. Não gostava de ser tocada, e ele quase nunca tentava. Fora diferente com Katie, que tinha o hábito de acariciar-lhe a cabeça e as costas, coisa de que Rose passara a gostar depois de algum tempo.

Sabia que Sam falava dela, mas não entendia por que agora, naquele lugar e momento, embora lesse a apreciação na voz, a visse nos olhos, no modo como mantinha o corpo. Sentia-lhe uma necessidade, mas nenhuma que ela pudesse satisfazer.

Trazia-lhe à lembrança alguma coisa dentro de si poderosa, unia os dois. Rose estendeu as orelhas para trás delicadamente, abanou o rabo de forma quase imperceptível, toda a emoção que sabia demonstrar. Ficou ali sentada a observá-lo cair no sono, ouvia o baixo ronco e o gemido de vez em quando.

Chegou mais para perto, percebeu-lhe o movimento corporal enquanto ele respirava, mudava de posição e agitava-se. Ouvia o batimento cardíaco, os líquidos no estômago, o sangue fluir nas veias. Sentia seus sonhos, embora não os visse nem os entendesse. Conhecia cada parte de Sam.

Depois de um instante, avançou devagar para a frente e apoiou a cabeça na mão dele, estendida na beira do sofá.

Fechou os olhos e permaneceu ali, enquanto ele dormia, ouvindo as histórias que o vento transportava.

A TARDE tornou-se semelhante a um sonho. Rose, não habituada à inatividade, caiu numa espécie de estado diáfano dentro da casa da fazenda. Cerrou os olhos, descansou e sonhou ao lado de Sam.

Quando as imagens enchiam-lhe a mente adormecida, elas, em geral, vinham de sua vida: Sam, Katie, a fazenda. Mas às vezes, estas eram raras, vinham de algum outro lugar, do sono mais profundo, ou de grande fadiga. Às vezes mesmo do medo.

Ela fechava os olhos e flutuava e, à medida que passava o longo e estranho dia, as imagens mudavam, chegavam com maior profundidade e distância.

O fogão a lenha rugia e, do lado de fora, o vento uivava constantemente; a cachorra àquela altura começara a ficar acostumada aos ruídos rítmicos, quase hipnóticos, da neve sendo açoitada contra os vidros da janela.

Era quase como se contasse a si mesma uma história. Ela voltava cada vez mais para trás, na mente um rolo de filme que se movia tão rápido que se tornava um borrão. Tudo parecia diferente e cheirava diferente. Casas, estradas, máquinas desapareceram, e só permaneceu o cheiro forte, primitivo, de matas, relva, morte e sangue. O ar ficou, sobretudo, rico de cheiros, a luz clara, quase ofuscante, e a escuridão mais tenebrosa do que qualquer luz que Rose já vira, as estrelas muito mais brilhantes e próximas.

Nessa história, ela era um filhote que vivia na sombra da mãe, seu mundo delimitado por um minúsculo covil de terra e pedras cavado por garras. Então se descobriu de repente acordada por urros, grunhidos, os ruídos de uma luta. Atirada na mata, viu lampejos de um grande animal, a imagem não clara, que surgia: a mãe agarrada e arrastada para longe rosnava, lutava, Rose, deitada imóvel, paralisada por confusão e medo. Quando tornou a despertar, viu espalhados em volta os corpos dos irmãos e irmãs, e sentiu-se faminta no estômago.

Continuou deitada, imóvel, em absoluto silêncio, e, quando a fome ficou intensa demais para suportar, o filhote se levantou, saiu a manquejar do esconderijo, até um prado. Ali, quando ergueu o focinho à procura da mãe, não encontrou nenhum vestígio dela.

Farejou um cheiro novo que a deixou atônita e começou a avançar em sua direção pelo mato do prado, ouvindo as formigas, besouros, ratos e animais maiores que circulavam ao redor. Silenciosa, imobilizava-se ao menor ruído, à espera pacientemente, como fora ensinada.

Apesar da fome e da confusão, também se sentia enfeitiçada. Tantas vezes Rose teve de esconder-se de falcões, aves, raposas, falcões, gatos, mas parecia saber quando se esconder e quando se deslocar.

Esfomeada agora, perdia a cautela. Tarde no segundo dia, ela chegou à borda de uma clareira, onde se surpreendeu ao ver as chamas amarelas brilhantes irromper acima e abaixo logo diante de si. Perdera o calor da mãe, mas aquele consistia em outro calor, e Rose sentia-o do seu esconderijo na moita.

Viu criaturas estranhas, pessoas, pela primeira vez. Algumas grandes, e uma menor. Temeu-as intuitivamente, tão diferentes de quaisquer que já vira, tão diferentes da mãe, irmãos e irmãs.

Sentavam-se em volta do calor amarelo, e no centro do calor ouvia-se um ruído estalado e desprendia-se o cheiro que ela captara no vento, um cheiro insuportavelmente bom que a fazia babar de fome. Era o cheiro que seguira pela mata e pelos prados.

Avançou devagar, atraída pelo odor. As criaturas se viraram para olhá-la e duas delas se levantaram, mas a menor emitiu um som, e todas tornaram a sentar-se, mas ainda a olhavam curiosas.

Passado algum tempo, a menor pegou uma coisa do fogo quente, atirou-a para a cachorrinha e emitiu sons delicados, não perigosos. A comida caiu a alguns centímetros em frente dela e, assustada, Rose saltou de volta para o mato alto. Mas aquilo era o cheiro que sentira e vinha procurando.

A fome venceu-lhe o medo, os instintos. Não tinha nada a ver com o leite da mãe, e o gosto e o aroma excitaram-na.

As pessoas haviam se calado então, observavam-na, a não ser a menor, uma menina, que atirou outro pedaço de carne na beira do mato. Rose precipitou-se, pegou-o, em seguida correu mata adentro e comeu-o faminta.

Nessa história, ela dormia e escondia-se na mata, cavava um buraco para si, ficava quieta. No entanto, aventurava-se até a borda do mato cada manhã quando as pessoas chegavam e iam embora. A menininha aproximou-se devagar de novo e jogou-lhe um pouco de carne antes de tornar a partir.

Durante vários dias, elas repetiram esse ritual, a menina se aproximava mais, trazia comida e atirava-a, o tempo todo a chamando e falando de forma tranquilizadora e afetuosa.

Na terceira noite, a menina chegou à borda do mato e sentou-se com um pedaço de comida. Emitiu ruídos guturais calorosos, estranhos. Parecia-lhe inofensiva, assim como aquele lugar, a gruta na encosta de uma colina, o afeto e a comida.

Rose agora passava quase todos os dias e as noites a observar as pessoas e esperar a menina trazer-lhe comida. Esta chegava mais perto todas as vezes, e em algumas brincava direto em frente dela, quando lançava gravetos no ar. As pessoas apontavam, riam e atiravam porções de comida.

Nessa noite, a menina segurou um pouco de comida na mão, sem a jogar na relva nem na mata. A cachorrinha avançou aos poucos. Moveu-se com coragem em direção à comida, devagar, cautelosa, até se ver comendo o pedaço de carne da mão dela, que lhe falou de forma delicada, afagou-lhe as costas e o pescoço. Rose pôs a cabeça na mão da menina e ganiu baixinho.

No dia seguinte, a menina trouxe outro pedaço de carne e Rose comeu de uma ponta enquanto a menina segurava a outra. Esperou ansiosa a chegada dela, abanou o rabo e gostou da atenção. A pequena atirava-lhe gravetos, emitia ruídos calmantes.

Conduziu Rose de volta às outras pessoas, que também lhe deram de comer e falavam de forma reconfortante. Naquela noite, ela dormiu logo na saída da abertura da gruta. E repetiu isso nas duas noites seguintes.

Uma noite, Rose ouviu a aproximação de animais no lado de fora, quando rosnou e latiu, e as pessoas a elogiaram, deram-lhe comida e afagaram-na. Ela, em seguida, latia sempre que ouvia um barulho estranho ou quando um animal chegava perto. Tornou-se seu trabalho protegê-las.

Começou a concentrar-se no que agradava às novas criaturas em sua vida, no que as fazia falar com ela em tom aprovador e deixar-lhe comida extra. Às vezes, farejava ou sentia outros cachorros, mas não saía para juntar-se a eles. Em vez disso, rosnava se os animais se aproximavam e interpunha-se entre eles e a menina.

Acompanhava as pessoas quando procuravam comida, quando nadavam, deitava-se perto delas, enquanto comiam e dormiam. Não havia motivo para vagar, porque tinha comida. Fazia parte de um bando de novo. Tinha abrigo da chuva, calor e frio. Recebia atenção e afeto.

Um dia, as criaturas juntaram suas coisas e começaram a partir do lugar, e a menina chamou-a. Rose se viu diante de uma opção, ficar ou ir com ela; parou, olhou para sua casa, em seguida para a menina, e acompanhou-a. Foi a maior escolha que fizera.

E nesse ponto terminou sua história.

ROSE DESPERTOU DAQUELE devaneio com um sobressalto. Sam se fora, mas ela o ouviu respirando no andar de cima, deitado na cama. Era raro Rose dormir enquanto ele se movia. Sentia as pernas doerem da caminhada longa e penosa pela pesada neve, e o frio parecia ter se enraizado em profundidade nos ossos. Tinha as patas inchadas e doloridas, retalhadas pelo gelo, o pelo emaranhado e cheio de nós.

Enquanto Rose dormia, a noite mais uma vez chegara. O vento continuava a uivar, e Sam subira para a cama enquanto ela sonhava. Embora vigiasse do interior da casa da fazenda, parecia que a tempestade era sua. Perambulou até a porta da frente, que estava coberta de depósitos de neve e gelo, depois seguiu para a dos fundos. Ainda dava para chegar ao lado de fora, mas só por pouco. Os portões dos pastos também se achavam cobertos. O feno nas manjedouras ficou enterrado e as gamelas de água, escuras e duras.

Um pouco mais cedo, os animais eram livres para mover-se em volta dos pastos, até as manjedouras e gamelas. Agora a neve e o gelo tornaram quase tudo intransitável. A geografia da fazenda e o mapa haviam mudado. As vacas estavam presas no pasto dos fundos, as galinhas bloqueadas no celeiro, as cabras sem condições de arrastar-se ou transpor a cerca de seu redil, já com fome, embora Sam houvesse enchido cada centímetro das manjedouras no redil.

Rose sentiu-se compelida a deixar a casa. Abriu com um empurrão a pequena aba da porta de vaivém, quase submergida pelo gelo e pela neve pesada.

Logo na saída da porta, ela se arrastou para a dura superfície acima varrida pelo vento, agora com uma crosta de gelo. Escorregou e deslizou no percurso até o portão do pasto, e começou a escavar um túnel para chegar ao outro lado.

8

UMA VEZ LÁ FORA, ROSE FICOU DESORIENTADA PELA ferocidade da tempestade. O ar era mais gelado do que alguma vez sentira, e a cachorra não conseguia compreendê-lo. O vento brutal e a intensa nevasca confrontavam-na com uma paisagem estranha — imensos montes de neve em alguns lugares, apenas trinta ou sessenta centímetros em outros.

Embora se acumulasse neve sobre grande parte da abertura do celeiro, ainda havia espaço para Rose entrar serpeando o corpo. Dentro, viu as galinhas nos poleiros, e o cachorro selvagem, que ergueu brevemente a cabeça, quando ela entrou, deitado num fardo de palha.

O cordeiro e a mãe, o par que Rose e Sam haviam salvado antes de irromper a tempestade, conversavam um com o outro. Só duas ovelhas estavam no grande celeiro. Sam deixara as outras no celeiro trilátero sobre estacas, pois era mais novo e resistente. Não caberiam todos nesse prédio, o qual, embora maior, era entulhado de equipamento, além de estar sujeito a fundações vacilantes e a um telhado cambaleante.

A cena no celeiro parecia natural, mas então ela captou outro cheiro e ouviu outro grito. Este foi diferente, um chamado de alarme de uma mãe, clamores das outras ovelhas. Rose sentiu o pelo nas costas eriçar-se e ouviu a si mesma rosnar, escutou o cachorro selvagem lutar para se levantar. As galinhas e o galo despertaram assustados, e ela, num piscar de olhos, galgou o monte de neve e saiu pela porta. Abriu um buraco largo o bastante para o cachorro selvagem segui-la, e ele subiu com dificuldade atrás dela.

Nada na fazenda parecia igual a como era quando estivera ali fora na última vez.

Mal conseguia enxergar através da neve que lhe golpeava a cara, e lutou para conseguir manter-se em pé na camada de gelo que formara uma crosta sobre a neve. Sentia a aguilhoada do frio nos olhos, nas patas, enquanto a pavorosa noite a engolia e a cobria com pedaços de gelo que se grudavam no pelo, sobrecarregavam-na e faziam-na arriar.

Ouviu o cão selvagem arrastar-se atrás dela, tentar manter-se em pé, escorregar e cair. A princípio, esperou-o, em seguida, percebeu que tinha de mover-se rápido. Seguiu a escavar o caminho com as patas através da neve e colina acima em direção ao celeiro sobre estacas.

Em geral, as ovelhas grávidas teriam ficado nos cercados de parir, mas Sam soltara-as para que encontrassem proteção do celeiro superior e não ficassem presas nos cercados expostos pela neve ou comprimidas no grande celeiro, onde não havia espaço para elas.

Rose sentiu bem adiante e acima de si a presença da ovelha assustada e conseguiu ouvir com nitidez os gritos das outras ovelhas, em pânico agora.

Moviam-se frenéticas de um lado para o outro dentro do abrigo, mas a neve amontoada bloqueava a visão da cachorra. Com trinta metros de comprimento e vinte metros de profundidade, construiu-se o celeiro sobre estacas de modo que os fundos ficassem voltados para os ventos chegando, as fortes vigas de carvalho com uma acentuada inclinação para suportar as pesadas neves hibernais.

Ela ouviu o cachorro selvagem latir bem atrás de si agora. Continuou a subir a colina, a esforçar-se em direção ao celeiro sobre estacas, e então, lutando para respirar, abriu caminho pela neve e viu as ovelhas, todas comprimidas num canto seco e abrigado do furioso vento.

Percebeu que elas estavam paralisadas de medo, como ficam as ovelhas quando encurraladas. Mais distante à direita, no canto oposto do celeiro sobre estacas, encontrava-se a ovelha, a placenta arrastada de seu traseiro, o cheiro ainda fresco, mesmo através do vento e da neve.

A mãe entrara em pânico. Corria dali para lá, gritando para seu cordeiro — um tipo específico de balido que as mães usam para chamar os rebentos. Ela precipitara-se para a neve, mas foi bloqueada e caiu para trás.

Rose logo a reconheceu, uma das mais velhas e dóceis na fazenda. Muitas vezes se retirava para o centro do rebanho quando aparecia a pastora, sem querer qualquer confusão com a cachorra. Mas também era uma mãe ferozmente protetora que abaixava a cabeça e corria impetuosa para a frente dos bebês sempre que Rose chegava perto demais.

Quando a viu surgir da nevasca, ela não recuou como em geral o faria, nem abaixou a cabeça, mas encarou-a de um jeito que Rose nunca vira antes, como se numa súplica. Olhou-a fixo nos olhos, porém não se tratava de um desafio nem apenas de uma expressão de desespero.

Ela entendia melhor as ovelhas do que as pessoas, mesmo Sam. Este a confundia com frequência, mas as ovelhas jamais.

A ovelha receava pelo seu filhote.

Rose parou diante do celeiro sobre estacas, perto da ovelha. Recuperou o fôlego, sacudiu-se para desprender a neve e o gelo dos olhos, curvou-se e retirou com os dentes fragmentos de gelo das patas e pernas dianteiras. Depois ergueu alto o focinho no ar. Cheiros inundaram-lhe a mente.

O odor de coiotes chegou-lhe com nitidez. Então a cachorra entendeu, avançou com dificuldade pela neve, sobre o gelo, no vento, e desviou-se à direita, para o lugar que a ovelha olhava frenética. Foi-lhe necessário o que pareceu um longo tempo para percorrer aquela distância muito curta, pois ela não parava de cair nos depósitos de neve, nas crostas de gelo, a respiração difícil devido à pressão e ao peso da neve no pelo. Ouviu um ruído sibilante e de patas rasparem, quando se surpreendeu ao ver o cachorro selvagem chegar pela noite proibitiva perto atrás dela.

Passados alguns minutos, ofegando mais forte, a língua comprida, Rose contornou o canto do celeiro sobre estacas até um monte de neve onde podia ver colina acima. Farejou cordeiro e coiote, mas, a princípio, não avistou nenhum dos dois. Ouviu o guincho estridente do vento, os gritos lancinantes da ovelha, as ansiosas respostas das outras ovelhas.

Rose conhecia o medo, mas era o medo de fracassar, não de outros animais, nem de machucados, nem da morte. Sentira algo estranho e novo quando a ovelha se virara para ela. Não constituía uma imagem da qual ela se lembrava, mas sentia-a fortemente, não no focinho ou na mente, entretanto bem no fundo do peito. Sentiu a emoção da ovelha que a impeliu subir a colina. Mais que tudo, sabia que era seu trabalho proteger as ovelhas e os carneiros.

Quando avançou poucos metros colina acima, farejou o sangue. Algumas das gotas continuavam visíveis na neve, o odor diferente de qualquer outro.

Para ela o sangue era conhecido, quase sempre o farejava ao correr pela mata. Mas só sentira o cheiro de sangue de cordeiro uma vez, quando um filhote nascera contorcido, a morte iminente, e Sam fora pegar a espingarda para sacrificá-lo.

A experiência afetara-a, deixara-a confusa e letárgica durante horas, a ponto de Sam dar-lhe um dia de folga para superá-la. Mas ela se lembrou do odor e reconheceu-o agora.

Rose imobilizou-se. Ali, a não mais que poucos passos diante de si, estava o coiote, o líder, o que conhecera como filhote. Tinha os olhos em chamas, e um cordeiro morto pendia-lhe da boca pela garganta. Três outros coiotes estavam parados num semicírculo bem atrás dele. A cabeça do cordeiro pendurada de um lado, os olhos cerrados, o corpo ainda quente dependurado até o chão.

Ela parou para absorver a cena, movia-se para fora e para dentro da sombra, emoldurada por neve, gelo, vento, escuridão. Quase se parecia com um de seus sonhos, mas o focinho disse-lhe que era muito real.

Embora imóvel, a cachorra fervilhava por dentro. Aquilo não fazia parte do trabalho que realizava, nem do mapa, ainda que houvesse cenas semelhantes em sua memória. Acontecia. Mas jamais acontecera com ela, não desse modo.

O olhar do coiote era claro, ele ficaria ali com o cordeiro, lutaria até a morte pela presa, iria levá-la de volta ao covil para sua matilha, alimentar-lhe os membros, salvá-los, fazê-los chegar ao final da noite. No frio letal, na tempestade cada vez mais intensa, seus próprios instintos se revelavam tão nítidos quanto os dela: pegar comida, chegar ao abrigo. Rápido. Para ele e a matilha, alimento fresco constituía vida e morte.

O filhote nascera tranquilamente, e Rose não o ouvira nem farejara através do vento e a neve. Mas os coiotes, contra o vento do celeiro, haviam ficado à espera e vigilantes. O líder teria entrado escondido, após contornar a quina do celeiro sobre estacas, e repelido o rebanho, todos, menos a mãe, de volta ao canto enquanto agarrava o cordeiro pelo pescoço. Devia tê-lo matado rápido e o levado colina acima. A carcaça, pesada demais para carregar de volta por todo o caminho, teria feito com que ele decidisse desmembrá-la ali, para que pudesse levá-la em partes, com os outros coiotes, através da tempestade, da mata, ao covil deles.

O cachorro selvagem circundou o canto do celeiro sobre estacas e rosnou. Coberto por gelo e neve, o pelo eriçado, começou a afugentar o coiote colina acima.

IMAGENS DE TODOS os tipos passaram repentinas pela mente de Rose.

Uma foi de lutar com o coiote, tentar rechaçá-lo e devolver o cordeiro ao rebanho. Mas este estava morto. O coiote lutaria. Os outros participariam. Eles não iriam fugir e deixar um filhote fresco na neve, não agora.

Outra imagem foi de precipitar-se colina acima com o cachorro selvagem. Essa imagem tornou-se clara, os dois cachorros desafiavam os coiotes, e em seguida extinguiu-se. O cachorro selvagem era determinado, mas não forte o bastante. Ela o viu morto.

Rose imaginou Sam dando comandos. Ele, porém, desapareceu de sua mente. Não estava ali. A mente dela recuou de repente para alguns dos outros animais que vira morrer — ovelhas na velhice ou no parto, vacas de doença ou ferimento. Aquelas mortes, lembrou-se, haviam ocorrido além de sua capacidade de reagir. Não faziam parte de sua responsabilidade.

Um sentimento diferente, uma sensação de escolha, ocorreu-lhe então. Ela reagiu.

Expôs os dentes, não para o coiote, mas para o cachorro selvagem. Surpreso, ele parou. Rose se pôs a descer a colina, o fez recuar, rosnava, desafiava-o com o olhar, empurrava-lhe com a cabeça e ombros, ao notar que ele vigiava o coiote com os olhos.

Via que o coiote não lutava, continuava seu caminho colina acima com o corpo do cordeiro e observava-os enquanto recuava.

Também viu que o cachorro selvagem não entendeu o que ela estava fazendo, ou por que reagia a ele daquela maneira, embora captasse o que Rose queria que fizesse. Era um cachorro trabalhador, estava preparado para lutar. Mas se submeteu a ela, a qual sabia que o outro não podia contestar-lhe as ideias de trabalho. Ele também tomara decisões, muitas vezes, no entanto, essa era dela.

Rose virou-se e olhou para trás. Viu o rasto de sangue, um vermelho-escuro manchando a neve. Um instante depois, a tempestade e as trevas haviam engolido os coiotes e o cordeiro.

Retomou a descida da colina, o cachorro selvagem na frente, ambos cansados, lutando para encontrar um terreno firme por onde andar, lamber as patas ensanguentadas e doloridas. Foram recebidos pela ovelha, que não se retirava para o canto do celeiro sobre estacas, mas saiu com um olhar suplicante de expectativa.

ROSE INCLINOU a cabeça, inclinou as orelhas para a frente e ergueu o focinho no ar, à procura de novas pistas, novos sinais. Mas recebia a mesma mensagem de todo lugar: frio e medo. E o opressor pano de fundo da monstruosa tempestade.

Aproximava-se do celeiro sobre estacas. O cachorro selvagem voltara para dentro do grande celeiro. As cabras haviam silenciado agora. Ela se perguntou onde estava Carol, a mula, pois não conseguia farejá-la nem a ouvir. Havia muito, quase demais, em que ficar de olho.

A temperatura mergulhara para bem abaixo de zero, e o vento uivava e parecia sugar o calor, até a vida, da fazenda. Seria perigoso ficar parada por muito tempo naquele frio. Sentia-o nas patas, nos olhos e nas orelhas. Numa temperatura assim, os animais de fazenda que não se moviam nem saíam do vento podiam morrer facilmente, congelados no chão.

Rose olhou para a mata, sentiu o pânico através das árvores, a neve e as moitas. Com certeza, havia animais morrendo, algumas carcaças já estendidas na floresta, criaturas atingidas pela exposição ao frio e ao vento, por exaustão, enfraquecidas pela fome. Talvez os coiotes se alimentassem delas e permanecessem longe.

Esse tipo de frio quase tornava difícil respirar. Estava exaurindo-a, ela e também os outros animais. Elevava-se do chão e penetrava-lhe o corpo, pela boca, os olhos e as orelhas. Ela não conseguia obrigar-se a voltar para o abrigo da casa da fazenda. E parecia que Sam não ia sair por enquanto. Rose vira-lhe a exaustão.

Ela sentia seus limites. Não podia ajudar Sam a lidar com o frio, isso fazia parte do outro domínio, o domínio humano das coisas, canos congelados e partidos, máquinas, fogões e aquecedores defeituosos, mas as ovelhas eram trabalho seu, não dele.

As ovelhas, tão sintonizadas com cães pastores quanto os cães com elas, pareciam sentir que Rose estava perdida, que seu mundo virara de cabeça para baixo. Conversavam umas com as outras, na tentativa de acalmar-se e serem acalmadas, de repelir o pânico. Em seu próprio sofrimento e perturbação, elas haviam se desligado da cachorra. Enfraquecidos, sentindo o perigo, perdendo energia, apavoradas com os coiotes, os animais se agarravam ao calor uns dos outros e aconchegavam-se juntos.

Rose continuou o difícil caminho para dentro do celeiro sobre estacas, fechava os olhos contra o gelo, o vento achatava-lhe as orelhas, e parou diante do rebanho. As ovelhas se assustaram quando ela reapareceu da neve e do frio a menos de um metro e meio de onde se encontravam. A cachorra mandou com os olhos que não se mexessem. Elas não o fizeram.

Tiritava no frio e as patas doíam da aguilhoada que causava. Embora tivesse as pálpebras quase cobertas de geada, sacudiu a cabeça e varreu o celeiro com os olhos. Duas ou três das ovelhas levantaram-se, quase como se por respeito. As outras pareciam não se importar.

Rose evocou o antigo relacionamento deles. Sua presença dizia: confiem em mim. Nada mais. Faremos o que pudermos. Encarou os animais de modo que não pudesse haver nenhum equívoco na mensagem.

Blackface levantou-se e, um por um, seguiu-se o restante das ovelhas e carneiros, recebendo-lhe o olhar. Ficaram cara a cara com Rose, e a cena naquela colina varrida por neve pareceu transformar-se em outras colinas, outras tempestades, outros lugares; esse mais profundo dos relacionamentos venceu.

Os animais se acalmaram, apaziguaram e começaram mais uma vez a deitar-se.

Rose não podia garantir nada, nem comida, nem água, nem segurança nem sobrevivência. Mas estava determinada a fazer com que eles a respeitassem, honrassem sua longa história juntos e, se era aquele o tempo que fazia, todos o enfrentariam juntos. A história não ia terminar em pânico, separação, confusão e morte. Terminaria com ela tentando conduzi-los, mantê-los sãos e salvos.

Quando o rebanho se tranquilizou, a cachorra avançou mais para o fundo até um canto do celeiro, para sair do vento feroz. Ao chegar, deu de cara com uma ovelha e o filhote recém-nascido, que tremia no frio. O leite da mãe cansada, faminta, gelada, na certa ficara fraco.

Exausta, mas alerta, aproximou-se da mãe e farejou o cordeiro. O bebê, sem ainda conhecer os costumes de ovelhas e cachorros, cambaleou até ela e tocou-lhe o focinho com o seu.

Atrás deles, a neve obscurecia o mundo abaixo.

O cordeiro arrastou-se em seguida para a mãe, em busca de calor, e a ovelha afagou-o com o focinho. Rose virou-se e iniciou a caminhada gélida e encharcada de volta para o celeiro.

SENTIA-SE EXAUSTA, não apenas fisicamente, mas de um modo novo e diferente. Estava habituada a ficar cansada, não, porém, tão esgotada, desafiada por tantas situações desconhecidas e perturbadoras. E ainda não tinha terminado.

Começava a irromper uma manhã cinzenta nublada. Era o terceiro dia de espessa e torvelinhante neve. Rose parou e examinou a cena estranha, ajustou o mapa, mas não conseguiu mantê-lo nítido. Embaixo e à direita, a casa da fazenda assentava-se na escuridão, os fundos quase enterrados na neve. Era como se Sam estivesse preso dentro agora.

Próximo, o grande celeiro, com as galinhas e o emproado, pomposo, galo. Ao lado desse, o cercado das cabras, as habituais queixas ruidosas, escarnecedoras, das criaturas mais baixas então, abafadas pela tempestade. Um dos cordeiros, brevemente acrescentado ao mapa, agora se fora, o outro balia baixinho. Afastado à esquerda, Brownie, o touro e algumas das vacas encaravam-na ansiosos.

Rose sentia-se confusa. Sam era essencial para o trabalho dela, mas nesse momento estava sozinha. E parecia que todos os animais, a mãe afligida, o cachorro selvagem, as outras ovelhas, os bois e as vacas, até as barulhentas e detestáveis cabras, olhavam-na.

Seu amado mapa achava-se bagunçado, mudava rápido demais. A tempestade era maior do que qualquer coisa na experiência dela. A cachorra sentia uma sensação de pavor e assombro, uma grande agitação dentro da mente. Sua vida e seu trabalho sempre haviam sido direcionados, compreensíveis, parte da experiência pessoal, modelada pelos instintos, por Sam, pelas rotinas, ritmos previsíveis e pelos períodos da fazenda. Parecia que o mundo de Rose se despedaçava, como gotinhas de sangue espalhadas pela neve.

SAM OBSERVAVA-A avançar com dificuldade pelo caminho de volta atrás da casa da fazenda, com o trajeto quase intransponível. Rose chegou à porta de cachorro, protegida pela água-de-telhado, e arrastou-se ao percorrer a cozinha. Encontrou-o acordado e vestido, sentado na poltrona tomando café e olhando ansioso pela janela o branco do lado de fora. Parecia paralisado, enquanto a nevasca envolvia-lhe toda a vida, tudo pelo que trabalhara.

Mas a inatividade da tarde da véspera constituíra uma pausa momentânea na batalha; não se repetiria. Ele tinha de continuar tentando, lutar para salvar o que podia, cada cano de água, portão e animal.

A ENERGIA FOI INTERROMPIDA quando Sam se encaminhava para os fundos da casa. As lâmpadas tremeluziram duas ou três vezes, o pelo no rufo de Rose eriçou-se com a luz inconstante, e se apagaram. Após um momento de escuridão, uma lâmpada na sala de estar tornou a tremeluzir e acender.

— O gerador de emergência — disse Sam — aciona automaticamente.

Mas funcionava como motor a diesel e durava apenas um ou dois dias, e fornecia energia apenas a poucas luzes no andar térreo e ao fogão da cozinha. Tudo mais, a energia para a maior parte da casa, os celeiros, a bomba do poço, o sistema de aquecimento, estava sem energia. Era melhor que nada, no entanto desferiu-lhe mais um duro golpe.

— Surpreendeu-me ter levado tanto tempo — disse a Rose — ao levar-se em conta o vento.

Ele vestia o casaco agora, procurava luvas secas e calçava as botas.

— Eu não posso simplesmente ficar aqui — ele disse. — Vamos verificar a neve no telhado do celeiro. Deve estar ficando grave. Talvez eu consiga pôr uma escada até lá em cima.

Rose não entendeu essas palavras e Sam não soou como em geral fazia, quando lhe dava comandos. Mas, apesar disso, ela captou o chamado ao trabalho.

Seguiu-o quando ele subiu com dificuldade e saiu pela porta dos fundos, abaixou bem a cabeça no vento para manter a neve fora do rosto ao se encaminhar para o celeiro, com Rose colada atrás dele.

SAM ABRIU A PORTA deslizante e escalou até a prateleira onde estavam estocados os poucos fardos restantes. Pegou uma corda comprida, amarrou um fardo no cinto e, em seguida, ergueu-o nas costas. Depois se virou, saiu e avançou com dificuldade pela tempestade, colina acima, até o redil das cabras que, assustadas, se aconchegavam num dos abrigos. Sam tirou as luvas, pegou a faca, cortou o fardo de feno e o enfiou no abrigo. Retornou ao celeiro e repetiu o processo, arrastando feno suficiente ao interior do abrigo e à manjedoura contígua para que os alimentasse pelo menos por dois dias.

— Para lhes dar uma chance — disse a Rose.

Vinha falando com ela cada vez mais nos últimos dias, a fim de defender-se do profundo isolamento e desespero. Descobriu, um pouco para sua surpresa, que conversar e partilhar seus planos com Rose era reconfortante. Embora soubesse que a cachorra não entendia a maioria das palavras, ela parecia aceitar como parte de seu trabalho ouvi-lo.

— Essa tempestade está pavorosa — ele disse. — As coisas vão começar a ficar sérias de verdade se a situação continuar assim. Detesto ficar sem fazer nada na casa e ver todos os meus animais congelar e morrer. Mas é quase impossível movimentar-se agora.

Era difícil falar acima do vento, no entanto Sam não se sentia como se falasse consigo mesmo. Rose consistia em uma presença muito mais importante do que alguma vez pensara que um cachorro seria. Ainda assim, porém, ele lutava para permanecer equilibrado. Perguntava-se se começava a enlouquecer. Ela era tão constante, firme, fazia uma diferença, não parava de se dizer. Fazia mesmo.

— Rose. Sinto saudade de Katie todo dia, mas me alegra que não tenha visto isso, pois teria sido terrível para ela.

Sabia que não tinha feno suficiente para todos os animais por muito tempo, vinha esperando outro carregamento quando irrompeu a tempestade. Transformara seus pastos de feno em colheitas mais lucrativas, com o milho e a batata, e permutava seus produtos por feno com outros fazendeiros.

Os animais iriam comer tudo de uma vez, sem poupar nada.

Não fazia muito sentido pôr demais lá fora agora, em todo caso, pois ficaria coberto de neve, gelo e não comestível. Mas as cabras eram resistentes. Dera-lhes o suficiente para sustentá-las por algum tempo. Faria o mesmo para os outros.

Pôs o que conseguiu nos abrigos, manjedouras e no celeiro sobre estaca. Embora não o bastante, era alguma coisa.

E agora precisava desobstruir o telhado.

Empurrou o portão e espremeu-se pela abertura na porta de correr, neve encharcada a desprender-se dele, as gatas e as galinhas circulando na esperança de que trouxesse comida.

— Fique aí fora, Rose — disse, ao pegar uma escada de alumínio e um comprido rodo que usava para retirar neve dos telhados de ardósia que cobriam todos os prédios da fazenda.

Tratava-se de um ritual que ela conhecia bem, pois vira-o fazê-lo com muita frequência. Desde que era fazendeiro, Sam ouvira relatos de neve desabar telhados, sobretudo os de celeiros velhos que nem sempre eram fortes o suficiente e muitas vezes não inclinados de forma suficientemente acentuada.

Sentiu-se revigorado, até motivado, diante da visão de montes de neve espalhados por toda parte. Tudo na fazenda o preocupava, mas por ora concentrou-se na parte de trás do grande celeiro. Tinha uma boa inclinação para neve normal que se acumulava e caía deslizante. No entanto, jamais vira tanta assim, e essa se empilhava perigosamente alta. Um metro e meio ou mais, e era muito mais alta em alguns lugares devido ao vento. Rose observava-o por detrás da manjedoura.

SAM ARRASTARA a escada para fora do celeiro até a parte de trás, usando os pés e uma pá destinada a abrir um espaço plano para fincá-la. Duas vezes as rajadas de vento arrancaram-lhe a pá das mãos e para o lado, mas ele firmou a parte inferior com uma pedra e alguns blocos de cimento, enfiando o degrau inferior na neve. Quando essa ficou bastante segura, começou a laboriosa e escorregadia subida até o alto da escada, passo a passo, raspando o gelo das botas em cada degrau sucessivo, arrastando acima o comprido rodo de neve com uma das mãos.

Levou quase meia hora para chegar ao degrau superior, espancado por frio, neve, a cada passo do caminho. Duas vezes o vento desviou a escada e ele se agarrou ao cano de drenagem. O rodo escapuliu-lhe da mão, obrigou-o a recuperá-lo e refazer mais uma vez toda a subida.

Rose ficou na base da escada, com os olhos fixos acima, à espera de instruções. Mal conseguia ver Sam quando ele chegou ao topo, mas em seguida o ouviu resmungar e grunhir ao estender o rodo para tentar empurrar parte da pesada neve do telhado.

— Meu Deus, nunca vi tanta — gritou-lhe do alto. — Para trás, Rose.

Ela ouviu-lhe a voz “ao trabalho”, sacudiu-se e recuou, quando os grossos pedaços de neve começaram a desprender-se do telhado.

Então as orelhas e o rufo eriçaram-se quando a cachorra ouviu um grito apavorante, um rugido de deslizamento de neve, e Sam arremessado com violência do topo da escada. Lançou-se impetuosa para a frente, ao vê-lo cair na neve embaixo, mas foi obrigada a recuar ao ver despencar estrondosamente uma montanha de branco, primeiro em cima dele e, em seguida, nela também. Tudo ficou preto.

9

PRÓXIMA À BORDA DA AVALANCHE, ROSE FICOU ATURDIDA E enterrada sob vários centímetros de neve. O acidente tolheu-lhe o faro, a visão, e deixou-a numa espécie de vazio que ela jamais conhecera antes. O maior volume de neve, contudo, caíra em Sam, por isso, embora se sentisse atordoada e confusa, logo se livrou disso, ficou vigilante, abriu o caminho acima com as garras e saiu.

Não via nem ouvia Sam, mas localizou a ponta da escada projetada fora da neve. Um imenso monte despencara do telhado, um cobertor pesado e encharcado. O cachorro selvagem saiu mancando do celeiro e se pôs a encará-la, confuso e assustado com o barulho.

Por um instante, Rose permaneceu imóvel. Nunca entrou em pânico, sempre se manteve concentrada em seu trabalho. O primeiro instinto foi encontrar Sam e trazê-lo de volta para ali, para onde ele sempre estava, e na verdade saiu a caminho da casa. Sentia-se desorientada, com o plano de trabalho impreciso. Perdera a pista do dono.

Então parou, ao lembrar-se de que ele não estava na casa. Olhou para o telhado, a escada e em seguida o cachorro selvagem. Precipitou-se celeiro adentro, onde Sam pegara a escada, então tornou a sair como um raio até o lugar onde o vira pela última vez e examinou a escada projetada fora da neve.

Concentrou todos os sentidos na neve, fechou os olhos para o caso de talvez conseguir ouvir, farejar ou intuir alguma coisa ao concentrar-se. O cachorro selvagem permaneceu imóvel, o rufo marrom e preto coberto de neve, observando-a.

As ovelhas do alto no celeiro sobre estacas gritaram por ela, como se pudesse levá-las ao pasto, à comida, mas Rose ignorou-as. Ergueu os olhos para o Blackface e seu olhar foi claro: fique onde está.

Ela tornou a virar-se para a pilha de neve. Um hipnotizador arco-íris de ruídos surgiu de repente diante dela. Ouviu pássaros na floresta, esquilos roíam nozes, coelhos se entocavam embaixo da neve, guaxinins escavavam túneis sob raízes de árvores, ratos fugiam apressados nos cantos do celeiro, as gatas dali se esgueiravam furtivas pelas vigas. Ouviu o estridente vento, o grunhido da neve nos telhados desse celeiro e em outros a quilômetros de distância, o tique-taque do relógio da sala de estar na casa da fazenda, o barulho da neve pesada que caía.

Absorveu tudo, a tempestade, os celeiros, os animais, os ruídos e as cores, e então, dessa desordenada torrente, um grupo de imagens aglutinou-se em sua mente e Rose fixou-se nos sons e sensações próximos: ouviu uma série deles, um gemido, um suspiro, respiração, a poucos metros da escada, e concentrou a atenção imediatamente.

Começou a cavar frenética. Usou as duas patas dianteiras, fincou as traseiras no fundo da neve atrás dela e empregou-as para a manterem firme. De vez em quando, curvava-se para a frente e retirava com os dentes grandes pedaços de neve. As patas dianteiras tornaram-se duas engrenagens acopladas, as quais escavavam um pedaço de neve após o outro, bombeavam, rasgavam com as garras, furiosas e contínuas.

Logo Rose ofegava, a língua dependurada bem embaixo acima das patas. Neve e gelo voavam direto na cara, no pelo. Ela mal parava para desprendê-la com uma sacudida, e apenas uma ou duas vezes se interrompeu de fato para engolir rápido um pouco de neve, depois de ter ficado superaquecida e sedenta. As patas agora se cobriam de sangue, pedaços de neve manchados de vermelho ao voarem atrás de si.

Ela seguiu em frente sem parar, escavava, escavava, curvava a frente do corpo cada vez mais para baixo e quase caiu no buraco que se aprofundava. Por sorte, a neve continuava macia e abria-lhe caminho para a escavação.

Sabia que os sentidos do cachorro selvagem não estavam tão aguçados, mas, por observá-la, percebeu o local no qual Rose se concentrava e, sem qualquer tipo de comunicação visível, ela conduziu-o com os olhos à esquerda da parte da escada projetada acima da neve.

O cachorro selvagem, mais fraco, contudo intenso, se pôs a cavar ao lado dela. A neve voava num constante fluxo atrás dos dois animais e formava pilhas espalhadas atrás de ambos.

Carol olhava por cima da cerca, intrigada, com uma curiosidade de mula.

O vento e a neve eram tão intensos que os dois cachorros mal conseguiam ver um ao outro. Após alguns minutos, Rose notou que as patas do outro também sangravam e ele enfraquecia. Com uma encarada, ela o fez recuar, ele aceitou o comando e sentou-se.

De repente, Rose latiu uma vez, em seguida duas, depois num ritmo contínuo, o que deixou o cachorro feroz e também os outros animais intrigados. Aquele tipo de latido não lhes era conhecido.

Não se destinava a eles.

ABAIXO DA NEVE, Sam estava desperto. Embora mal consciente, sentia o frio, o molhado, a escuridão. Lembrava-se apenas de a neve deslizar nele e despencá-lo da escada, e da longa e escura queda no chão nevado, além da sensação de ser martelado quando o volume de neve caiu estrondoso em cima dele. Em seguida perdeu a consciência, mas agora se lembrava de onde se encontrava, do que acontecia. Sentiu uma onda de terror, entretanto permaneceu calmo. Meu Deus, a que profundidade me encontro?

Tinha o braço direito torcido embaixo de si, e a dor era excruciante. Não conseguia mover um braço nem uma perna e, contendo o pânico, começou a murmurar o Salmo Vinte e Três para impedir a mente de fugir. Imaginou que Rose também fora enterrada e sentiu uma pontada de angústia pela infeliz cachorra se ela estivesse presa debaixo da neve como ele.

Lutou com esforço, tentou impelir-se para cima, ao comprimir a neve com o braço direito bom e depois com uma das pernas. Não se mexeu sequer centímetros.

Ninguém o ouviria, nem o procuraria, de nenhuma maneira conseguiria sair. Logo congelaria.

Então o fim consistia naquilo, pensou. Lembrou-se do pai sempre a dizer-lhe que nunca, jamais, entrasse em pânico. Fazendas eram cheias de perigo, ele advertia, e o pânico jamais ajudou. Pensou em Katie e na ideia de unir-se a ela. Pensou em Rose, a dedicada criatura, que estaria à procura dele.

Melhor se acalmar e deixar o frio e a escuridão fazerem seu trabalho.

Não conseguia imaginar nenhuma forma de desenterrar-se de tamanho monte, nem de tornar a ver a luz. Sentiu outra onda de medo no peito e combateu-a. Pensou em falar a Katie da fazenda, dos pais e irmãos. *O Senhor é meu pastor. Nada me faltará.*

— Rose — ele sussurrou. — Rose.

ACIMA, começava a escurecer e os animais a se acomodarem para a noite, ao mesmo tempo cientes e impermeáveis ao drama que se desenrolava à sua volta. Tinham sentido a neve cair, observado Rose lutar para levantar-se e visto Sam desaparecer. Mas nada disso fez qualquer sentido para eles. Em seu mundo, a vida agora consistia em comida e água, e no instinto de sobrevivência.

Abaixo, Rose parara a escavação, erguera as orelhas. Ouvira algo. Seu nome. A voz sussurrada de Sam. Embora cansada, o ritmo um pouco mais lento, ao ouvir aquilo, recomeçou a cavar ainda com mais força que antes.

Não via nada além do buraco que abria, e a silhueta coberta de neve do cachorro selvagem, o qual se levantava e cavava, e em seguida se deitava quando o esforço tornava-se demasiado. Rose deixou-o estabelecer seu próprio ritmo, mas, se o animal cavava por um tempo longo demais, ela latia para ele ou lhe lançava um olhar que o fazia recuar.

De poucos em poucos minutos, ladrava, depois parava para prestar atenção, na tentativa de concentrar-se e captar o gemido, a respiração, da cacofonia de imagens, cheiros e ruídos que lhe afluíam na cabeça.

Mais sangue vazava agora das patas, as quais doíam intensamente. Tinha os membros rígidos, sentia frio e fome. O restante do mundo, porém, quase lhe desaparecera da consciência, e ela via apenas o buraco diante de si, entretanto se dava conta do cachorro selvagem, exausto àquela altura, sem condições de cavar, que lhe oferecia apoio apenas pela presença dele.

Rose não fazia a menor avaliação de tempo. Não tinha como saber que se tratava do anoitecer do terceiro dia da tempestade. Percebia a escuridão avolumando-se, tinha certeza do frio cada vez mais intenso, do vento e do aumento da neve, e não parava de ouvir rangidos e suspiros agourentos acima de si. De vez em quando, erguia os olhos para ver se mais neve caía neles.

SAM NÃO FAZIA A MÍNIMA IDEIA de havia quanto tempo se encontrava debaixo da neve, nem de quanto tempo ficara inconsciente. Sentia os membros dormentes e estava grato pelo fato de não ter espaço para mover a cabeça, pois assim, pelo menos, podia respirar. Imaginava que era melhor morrer de frio do que de sufocação.

Passado algum tempo, julgou ter escutado um latido, mas não podia acreditar que fosse real.

Achou que talvez houvesse sonhado.

Continuou a recitar o Salmo Trinta e Dois, não porque fosse muito religioso, mas, no entanto, porque era a única prece que ele conhecia. Repassou as contas, as listas de afazeres da fazenda, coisas que precisavam ser consertadas, planos de levar as ovelhas e vacas ao mercado, os preços mais recentes. A longa relação de tarefas da fazenda era uma dádiva, pois lhe ocupava a mente e mantinha-o calmo.

Sam era claustrofóbico e temia descambar na histeria. A dor no braço e no lado tornava-se insuportável. Ele perdera a sensibilidade nos dedos dos pés e das mãos.

Ouvira dizer que a morte por congelamento era uma das formas mais agradáveis de morrer, na qual você ironicamente se sentia aquecido e apenas adormecia. Ser enterrado vivo era outra história, mas ele obrigou a mente a desviar-se para outro lugar. E se pudesse unir-se a Katie? E se Rose também estivesse lá? Tantas pessoas acreditavam nisso, seus pais acreditavam, que talvez pudesse ser verdade. Iriam cachorros para o céu? Iria ele? Sabia que Katie fora. Haveria trabalho para ele e Rose fazerem? Amava a fazenda, mas sua vida era uma luta. Quem sabe...

Uma série de latidos, agora próximos, interrompeu-lhe os pensamentos. Alguma coisa arranhava em volta de seu peito.

ROSE MERGULHOU NUM estado de absoluta concentração. Cavava, cavava, cavava, alheia à dor, ao frio, consciente apenas de Sam debaixo da neve.

Sabia agora o lugar exato onde ele estava, ouvia-lhe a respiração, o batimento cardíaco, sentia-lhe a resignação. Achavam-se juntos mais uma vez, com apenas aquela neve entre ambos. Ele vivia. O trabalho dela jamais fora mais claro, nem seu objetivo tão intenso em cada parte de si.

A neve saltava acima em firmes erupções que caíam atrás. Rose ficou possessa. As ovelhas olhavam assombradas e confusas aquela misteriosa cena abaixo.

BRUSCAMENTE, Sam sentiu o vento no rosto. Ergueu os olhos e viu imensos flocos de neve borrando o céu escuro acima. Sentiu uma língua a lamber-lhe furiosa o rosto. Rose gania excitada, movia-se em círculos, lambia-o e dava-lhe mordiscadas.

Ele levantou a cabeça, impeliu-se um pouco acima com o braço esquerdo e surgiu no delicioso ar gelado. Mais lambidelas cobriram-lhe o rosto, e Rose, em geral reservada, contorcia-se de emoção. Tornou a morder-lhe a orelha.

Sempre que Sam caía, ela se aproximava às pressas e mordiscava-lhe a orelha até ele levantar-se, e começou a morder então. Levante-se, levante-se.

— Ei, menina — disse ao lutar para fixar a atenção e orientar-se. Nada ao seu redor fazia qualquer sentido. — Você me desenterrou? Está tudo bem com você?

Ele rolou sobre o lado esquerdo, Rose aproximou-se mais e lambeu-o agora de maneira mais trabalhadora, ao retirar-lhe neve e gelo do rosto.

Sam retirou-se com esforço, devagar, do buraco, gritando de dor, enquanto Rose gania e movia-se em círculos ao seu redor. Ele sentiu um estranho e doloroso alívio por se ver de volta ao ar livre, mesmo naquela pavorosa tempestade. Não conseguia se esquecer do que Rose fizera, que ela concebera e pusera em prática um plano para resgatá-lo. Não era nada fácil acreditar na enorme pilha de neve num monte atrás de onde ela cavara.

Dirigiu o olhar ao cachorro selvagem, deitado na neve, ofegante, com as próprias patas velhas cobertas de sangue e machucados. Então, ele também cavara. Fez-lhe um aceno com a cabeça, um tipo de agradecimento.

Ergueu os olhos para ver a situação do celeiro. As calhas foram arrancadas com um pedaço de ardósia e madeira.

Quando tentou mover-se, gritou de dor. Rose recuou, mais uma vez concentrada. Sam deu-se conta de que se machucara gravemente.

E viu que Rose também estava ferida. Examinou o sangue na neve e, em seguida, notou-lhe as patas. Fez que não com a cabeça.

— Obrigado, Rose. Obrigado. Boa menina.

A cachorra abanava o rabo num movimento constante. Mas não era hora para elogios. Ela ainda tinha trabalho a fazer. A neve caía espessa, o vento soprava furioso, o frio gélido, implacável, e Sam não podia deslocar-se.

Ele sentia o braço direito oscilante e o joelho direito doía tanto que mal conseguia mover-se. Sabia que seria um longo rastejo até a casa da fazenda, que não tinha a menor esperança de manter-se em pé nem de andar, mas também sabia que o melhor era chegar lá, entrar e obter ajuda. Ele não duraria muito mais tempo no lado de fora.

Conferiu as horas no relógio de pulso. Passava pouco das oito da noite. Temia a ulceração causada pelo frio nos dedos das mãos e dos pés. Calculou que ficara na neve por quase uma hora, e Rose, que capengava, na certa estivera cavando o tempo todo. Curvou-se a afagou-lhe a cabeça, e ela lambeu-lhe a mão.

Sam se pôs a deslocar-se devagar, impelia-se através da neve até a dor se tornar demasiada e, em seguida, respirava para descansar. Tinha de continuar em frente, parar de demorar-se no frio. Havia um estojo de primeiros socorros no banheiro. Pensou no plano de emergência que a polícia estadual criara para crises e sabia onde estava a pistola de chamas de sinalização na despensa. Segundo o plano, os guardas da vigilância ficavam à procura de clarões de manhã, ao meio-dia e depois mais uma vez à noite. Talvez ele houvesse passado da hora noturna marcada. Decerto teria de resistir até a manhã.

Todos os fazendeiros conheciam o plano. Mais de um usara-o, em inundações, incêndios, quando tratores capotavam, ou membros ficavam presos em máquinas de ceifar, ou vacas chutavam alguém na cabeça.

As pistolas de chamas eram poderosas, brilhantes, e, se disparadas bem alto, podiam ser vistas a quilômetros de distância, através de nuvens e neve. Isso era sua única chance. Iria disparar uma série de cartuchos à noite, por via das dúvidas, e outra de manhã.

No entanto, ferido como ele estava, não se preparara para abandonar a fazenda e os animais. Talvez... talvez ele pudesse arrastar um pouco de feno até lá fora mais uma vez antes que o levassem embora.

Rose seguia-o no relento enquanto Sam arrastava-se pelo chão, em seguida desabava, logo depois tornava a se arrastar, avançar centímetros após centímetros, ao fazer o caminho de retorno à casa da fazenda. Impelia-se e impulsionava-se com a mão boa e os pés contra a neve. Rompera um ligamento na perna numa queda do trator anos antes e sentiu a dor que vinha da antiga lesão, além da do braço. Embora insuportável, ele esperava que, se evitasse a pressão, conseguiria levantar-se assim que entrasse, saísse da neve e do gelo. Era impossível caminhar através dos depósitos de neve, mas só faltava percorrer uns sessenta metros.

Quando chegou à porta da casa, viu o relógio pela janela. Quase nove horas. Rose acompanhou-o por todo o percurso, às vezes em círculos na frente, depois retornava, como se para empurrar da retaguarda.

— Rose, temos de ajudar um ao outro a superar as dificuldades disso — disse. — Se tivermos sorte, conseguiremos ajuda pela manhã.

Achou que ela olhou-o curiosa, ao inclinar a cabeça. Meu Deus, ele pensou, como devo parecer-lhe arrastando-me aqui assim? Será que sabe quanto estou ferido?

ROSE FAREJOU o sangue no chão, um rastro de ambos partira do celeiro pela neve até a porta dos fundos, e, em seguida, entrou em casa atrás de Sam.

A luz fornecida pelo gerador iluminava a entrada nos fundos, a cozinha e a sala de estar. Sam remexeu numa gaveta e logo lhe surgiu uma luz na mão. Acendeu uma vela grossa.

Rose esperou diante do banheiro aonde ele fora, mas, quando ouviu os gritos, correu para dentro. Encontrou-o apoiado na pia, com uma toalha agarrada entre os dentes.

— Meu Deus — ele exclamou.

Rose inclinou a cabeça e se retesou, com as narinas alargadas, enquanto ouvia-lhe os gritos.

Viu aquela postura curvada. Viu tudo. A careta contorcida no rosto. Os arquejos, grunhidos e berros de dor. Farejou-lhe os ferimentos, o braço deformado, sentiu o calor dos braços e das pernas, o frio do congelamento dos dedos.

A cachorra ouvira alguns desses ruídos dele uma ou duas vezes antes, quando caíra do trator e machucara o ombro, e de novo logo depois que Katie deixara a casa naquela última vez.

Conversava com ela agora, olhava-a. Entendia a dor, o susto. Apenas algumas palavras lhe soavam claras, "feno", "ovelhas" e trabalho, além de, uma ou duas vezes, o seu nome e o de Katie. Sam, contudo, não fazia o menor sentido, não se parecia nada consigo mesmo.

Ela não sabia de fato diferenciar a dor física do sofrimento causado pela perda de um ente querido. As duas coisas soavam-lhe idênticas, ambas geravam odores fortíssimos que a assustavam, causavam sua própria ansiedade e medo. Rose não tinha a menor ideia do que fazer em resposta.

ASSIM QUE SAM tirou o casaco e a camisa, um processo agonizante, viu que quebrara o braço. O osso projetava-se através da pele abaixo do cotovelo.

Foi-lhe necessário um longo tempo para enrolar uma gaze sobre o braço quebrado, coberto de sangue, modelar uma tipoia feita de uma toalha comprida e atar um nó com os dentes. Ele permaneceu calmo, pois sabia que sua vida dependia disso. Encontrou um rolo de fita adesiva, a qual desenrolou também com os dentes, e usou-a para prender a tipoia no lugar. Pegou meia dúzia de comprimidos para dor de cabeça, engoliu-os de uma só vez com água da mão em concha. O pequeno gerador mantivera a água correndo do poço, e ainda restava alguma pressão no tanque.

Gotas de suor começavam a formar-se na testa dele. Rose aproximou-se para farejar o medo e admirar-se com aquilo. Ficou ansiosa, preocupada.

Mas não tinha nada que pudesse fazer.

Com a mão boa, Sam estendeu o braço e pegou o celular e, em seguida, o largou. Sem sinal. Sentiu-se grato porque pelo menos comprara o gerador. Teria um pouco de luz, no mínimo até o amanhecer. E o fogão a lenha continuava a funcionar e lhe proporcionaria algum calor. Não conseguiria arrastar lenha até a lareira.

ROSE NUNCA O VIRA tão pálido. Farejava os ferimentos, sentia a dor, percebia a confusão e a angústia. Gania agitada e insegura. Virou-se em direção aos fundos da casa para prestar atenção aos ruídos do celeiro ou do pasto. Não ouviu nenhum.

Deitou-se para lamber as próprias feridas, as partes polpudas e moles debaixo das patas retalhadas e cobertas de sangue. Cada passo na neve e no gelo fizera disparar a dor acima das pernas.

Ergueu os olhos quando Sam se abaixou apoiado num joelho no piso do banheiro, fazendo uma careta de dor, e em seguida a chamou, mandou-a ficar e despejou-lhe certo pó nas patas ensanguentadas, enquanto lhe dizia que ficasse parada.

TRANSCORREU ALGUM TEMPO para Sam e Rose avançarem com dificuldade de volta até a sala de estar, perto do fogão. Sam caminhou devagar pelo piso, abriu a porta do fogão com uma das mãos, atirou uma lenha dentro, depois tornou a fechá-la. Pegou uma garrafa de uísque no armário na parede e engoliu vários goles grandes, antes de aproximar-se e deitar no sofá, com o braço envolto na tipoia improvisada e mantido junto ao corpo.

Embora continuasse com a calça encharcada e sem camisa, não lhe restava energia alguma para fazer mais. Puxou a manta estendida no sofá sobre si mesmo. Semiadormeceu quase de imediato, enquanto respirava pesado, resmungava, e de vez em quando gritava ao mover ou deslocar o braço sem querer.

Rose encaminhou-se para o lado do dono e pôs o focinho em sua mão estendida que pendia do sofá. Ele abaixou-a e deixou a cachorra lambê-la.

— Ei, menina — disse. — Estou em apuros aqui. Temos ambos que sair deste lugar. Talvez... quando a neve parar...

ROSE ESCUTAVA. O coração de Sam era forte, a respiração estável. Mas ela percebeu a dor espalhar-se e a tristeza. Cheirou o sangue, fungou o braço quebrado, o osso, sentiu o choque no qual Sam deslizava. Imagens dispararam pela sua mente.

Em sua cabeça, tocava ovelhas, vacas, e vigiava à procura de coiotes. Nenhuma dessas imagens ajudava-a, nem lhe dizia o que fazer. Impotência era estranha para Rose. Ela gania e fungava a mão congelada de Sam.

Decidiu que ia se sentar junto dele, vigiar e esperar. Não conseguia entender a ideia de ajuda de fora, remédio ou resgate. Apenas a aceitação da realidade do momento, do que ela via e do que lhe transmitiam os sentidos. E a procura do trabalho a fazer.

Foi até a vasilha de água, tomou a metade e, em seguida, comeu o alimento moído de forma grosseira que Sam lhe servira. Mancava com o joelho direito, o qual ficou muitíssimo deslocado, talvez ferido, de impelir-se através da neve. As patas aguilhoavam, mas o sangramento cessara. As pernas doíam.

O gelo também lhe cortara e sangrara o focinho. De vez em quando, ela sacudia a cabeça, na tentativa de expulsar a dor. Torrões de neve e gelo ainda lhe pendiam do rabo e do pelo. Rose deitou-se e fechou os olhos.

Semiadormecido, Sam chamou-a.

— Rose, menina... onde está você?

Ela ergueu de estalo as orelhas e chegou ao sofá num instante. Pôs o focinho na mão dele. Tinha os olhos fechados, o peito movia-se no ritmo da respiração.

Depois que Sam tornou a adormecer, Rose foi sentar-se perto da janela da cozinha. O dono que ela conhecia, cuja rotina e cujos comandos definiam cada dia de sua vida, parecia ter sido soprado para longe pela tempestade, levando a vida previsível e definida que ela conhecia.

Nos dois últimos dias, antes de ter caído do teto do celeiro, ele sempre ia até a janela, às vezes corria para fora, a fim de arrastar feno até as manjedouras, retirar a neve dos caminhos com a pá, tentar desobstruir as portas do celeiro, bater nos removedores de gelo com o martelo, transportar água quente para as gamelas, ainda que os animais só dessem algumas lambidas antes de o líquido mais uma vez congelar.

Rose jamais o vira daquele jeito, tão derrotado, destituído de comandos e direção. Isso criava um vazio, um espaço escuro. Quanto menos ele fazia, mais ela sentia que tinha de fazer. Seu mapa mais uma vez mudara, talvez da maior maneira.

A cachorra tinha, quase pela primeira vez, uma ideia de si mesma separada de Sam.

Com exceção das primeiras semanas de vida, quando corria em outra fazenda com a mãe e irmãos, Rose sempre fora solitária, afastada dos outros animais, afeiçoada apenas ao seu único humano. E depois a Katie, que agora se fora.

Na casa da fazenda, tinha seu canto no aposento não usado, para onde levava ossos, os petiscos de Katie, pedaços de comida, uma das meias de Sam, e às vezes se isolava ali. Enfiava-se debaixo da cama com suas poucas coisas e se enroscava com elas. Quando sonhava acordada, ela brincava, corria com outros cachorros, rolava ao sol.

Fazia tanto silêncio agora, que Rose ouvia o ruído do próprio coração batendo. Sentada ali perto da janela, sentia que o mundo estava demasiado confuso, complexo, imutável. Embora não tivesse palavras que exprimissem esse medo e tristeza, tinha instintos penetrantes o bastante para fazê-la sentir-se o ponto mais minúsculo prestes a ser devorado por um mar de neve, vento e frio.

Prestou atenção em busca de ruídos do celeiro, mas não chegou nenhum. Ouvia apenas o vento e a rajada de neve.

Olhou para Sam, que falava mais uma vez ainda dormindo.

PASSADO ALGUM TEMPO, Sam acordou sobressaltado, abriu os olhos, fez uma careta de dor e levantou-se.

Sabia que todos os animais logo ficariam irremediavelmente presos bem onde se encontravam, se já não estivessem. E nada havia a fazer a respeito. No trator, inútil, era impossível transportar feno, e mesmo que ele tivesse condições de fazê-lo, a forragem logo seria coberta por neve e gelo.

O pai e o avô, que haviam ambos perdido amigos por acidentes em fazenda, disseram-lhe em diferentes ocasiões que, por mais que você amasse sua fazenda, às vezes tinha de amar mais a si mesmo.

Tinha de sobreviver. Era você quem a mantinha seguindo em frente.

Ele conhecia muito bem essa lição; acabara de aprendê-la mais uma vez. Não havia glória alguma em morrer sozinho nessa terrível tempestade e neve, pois isso significaria apenas o fim da fazenda, o fim de duzentos anos de trabalho árduo da parte de sua família, em cujo próprio sangue baseava-se o solo.

Quando a temperatura despencou ainda mais, ele soube que os animais, sem condições de mover-se, perdiam calor e energia. Só o frio podia matá-los, sobretudo sem forragem fresca e água. Tinha, porém, de parar de pensar nisso e buscar alguma ajuda para si mesmo. Não se tratava do destino de animais de fazenda, os quais não vinham em primeiro lugar, não podiam. Tinha de pensar além dessa terrível tempestade. Tinha de salvar a si mesmo e a Rose.

Lembrou-se de dizer a Katie que não pensava mais em Rose como "apenas um animal". Coisa que jamais ousou dizer a outro fazendeiro.

EM SUA EXISTÊNCIA, Rose jamais presenciara tal cena, sentira tamanha sensação de desamparo. Deitou-se perto da porta dos fundos e fechou os olhos por um breve momento.

Veio-lhe à lembrança uma imagem em que brincava na neve com os irmãos. A mãe, sentada num montículo acima, vigiava as ovelhas acima e os filhotes abaixo. Por um instante, parou de brincar e encarou a mãe nos olhos, quando sua cabeça encheu-se de imagens ao acompanhar o olhar da mãe, em direção àquela casa da fazenda, àquele fazendeiro, às ovelhas, às vacas, e desviá-lo de volta a ela e seus irmãos. Era a primeira vez que Rose via aquelas cores, redemoinhos, aqueles cheiros fortes e sensuais, cada um contava-lhe uma história diferente.

A mãe fechou os olhos por um instante, como se para absorver tudo, e Rose lembrou-se de sentir, apenas por um segundo, a solidão no amor da mãe por tudo que ela via em sua vigilância e responsabilidade. Um sentimento que a mãe trazia gravado em si, que jamais a deixou e, a partir daquele momento, tampouco deixou Rose.

Agora o sentia mais uma vez, nessa tempestade, nessa fazenda, com seu fazendeiro, e os animais, e o sentimento a oprimia, e tinha o efeito de eliminar toda a confusão e dor. E o medo.

SAM ADORMECEU numa cadeira perto da porta dos fundos, com a cabeça tombada sobre a mesa. Rose sentiu necessidade de fazer seu trabalho.

Saiu pela porta de cachorro para se informar sobre o cachorro selvagem. Não ficou tão desnorteada pela neve então e movia-se com mais confiança e agilidade pelos depósitos acumulados. Adaptava-se. A neve caía dos telhados do grande celeiro e empilhava-se em toda parte.

Examinou em volta antes de entrar no celeiro. As formas escuras das vacas e dos bois, afastadas num canto à direita, encontravam-se em pé próximas ao abrigo deles, coberto de neve e gelo. Ela olhou o celeiro sobre estacas, acima da colina. As ovelhas, ainda amedrontadas com o ataque do coiote, aconchegavam-se juntas num canto da construção.

Entrou no celeiro pela porta lateral. Estava escuro, um frio de rachar, e o vento fluía intenso pelas ripas de madeira. O galo e as galinhas continuavam na escuridão e ela ouviu-lhes o baixo cacarejo enquanto dormiam.

Com dor, exausto e faminto, o cachorro selvagem estava deitado acordado, a respiração difícil. Uma imagem surgiu-lhe repentina na mente: havia um saco de grãos, para as vacas, no celeiro. Vira Sam rasgar aqueles sacos com sua faca muitas vezes, e os grãos despejados em baldes para o gado bovino e o ovino.

Viu-se rasgando um daqueles sacos com os dentes. Em seguida, uma imagem do cachorro selvagem, que agora talvez não conseguisse caminhar até a casa da fazenda, chegar à vasilha de alimento, comendo os grãos.

Correu de leve até o cachorro selvagem, ouviu-lhe o coração enfraquecido. Dirigiu-se ao canto do celeiro escuro, passou pelas galinhas empoleiradas, por Winston, que a observava atentamente. Chegou ao saco de grãos e rasgou-o.

Sentiu os olhos do cachorro selvagem nela quando a parte de cima do saco abriu-se, e bolinhas de cheiro gostoso, forte, derramaram-se no chão. Engoliu um bocado após outro até ficar com a barriga tão inchada que doía e, em seguida, correu de volta ao cachorro selvagem, que se esforçava para levantar-se, e vomitou os grãos no chão diante dele, as bolinhas intactas. O cachorro curvou-se para a frente, limpou a cara de Rose com a língua e depois se sentou para receber-lhe o olhar. Então se aproximou e comeu dois ou três bocados. Satisfeita, ela espremeu-se de costas ao cruzar a porta, a passagem na neve com as patas, e olhou a terrível e triste cena em volta. Ouviu os coiotes, que haviam circulado o dia todo e a noite anterior, uivando no topo da colina.

Passara com Sam, um ao lado do outro, por vários dramas, dificuldades, na fazenda, e sentira-lhe a aflição. Vivera essa experiência muitas vezes.

Tocava-lhe algo profundo e antigo no íntimo.

Em certo sentido, isso agora era seu, assim como dele.

ASSIM QUE HAVIAM SE APROXIMADO, Rose sempre sabia quando Katie se dirigia a ela e captava-lhe a amorosa natureza das palavras e do tom.

Tinham uma rotina. Quando não trabalhava com Sam, chegava à procura de Katie e esta se virava para a cachorra e perguntava:

— Terminou seu trabalho? — Rose abanava o rabo então, sacudia-se um pouco e, em seguida, ia ficar perto das botas que a outra usava para caminhar na mata. — Também terminei meus afazeres — acrescentava. — Vamos nós, as meninas, tirar uma folga.

Tudo associado às pessoas e que envolvia padrões e rotinas logo se tornava trabalho apreciado por ela. O entusiasmo de um ser humano era visível, uma coisa que captava instantaneamente.

Após apenas algumas caminhadas juntas, Rose passou a conhecer o casaco, as botas que Katie usava para fazê-las, além de outros sinais que nem mesmo ela se dava conta de que transmitia, como observava o tempo pela janela, olhava para a porta, pegava um xale, conferia o termômetro e certificava-se de que desligara o fogão.

Uma olhada aos pés dela dizia-lhe o que Katie ia fazer, pois se tornara uma especialista em sapatos. Sabia que usava as botas de trabalho para o pasto ou tarefas na fazenda, os sapatos de caminhada para incursões na mata. Os pretos brilhantes com toda probabilidade significavam que deixaria Rose atrás, que não havia trabalho para ela fazer.

As duas se ligavam por uma corda invisível nessas caminhadas. Katie jamais levava uma correia, nunca pusera uma na cachorra, nem sequer para ir ao veterinário, e era inimaginável que ela alguma vez partisse às pressas. Embora tentada, jamais perseguia esquilos de dorso listrado nem veados que elas encontravam. Sempre mantinha um olho em Katie, como fazia com Sam, quando se encontravam lá fora trabalhando. Como poderia fazer isso se fugisse?

Nas caminhadas das duas juntas pela trilha, precipitava-se adiante, retornava em círculos, seguia ao lado, enquanto farejava e prestava atenção a ruídos da mata, coiotes, perus-do-mato, pássaros na construção de ninhos, guinchos de morcegos adormecidos, diversas espécies de esquilo ao quebrarem nozes e veados enquanto comiam bagas e folhas. Todos os vários odores e barulhos traziam-lhe notícias.

De vez em quando, Katie pegava um pau e atirava-o. Rose saltava no ar, agarrava-o e trazia-o de volta para ela. Sam jamais viu isso, nem sequer soube. A cachorra não brincava com ele.

Ambas sempre se encaminhavam para o mesmo local: o tronco de um gigantesco carvalho que demarcava o gramado de uma fazenda abandonada havia tempos. Katie sentava-se e pegava um pão assado em casa. Comia um pedaço e jogava outro para Rose. As duas continuavam sentadas juntas por alguns minutos e absorviam o sol.

— Mais tranquilo que isso, impossível, não, Rose? — disse Katie uma vez.

Alguma coisa no que ela dizia acalmava a cachorra, e embora esta não entendesse nenhuma, adorava as palavras que lhe fluíam da boca. O tom exprimia ideias a Rose de forma tão nítida quanto quaisquer palavras ou narrativas, além de ela entender o amor, a animação e tranquilidade de seus passeios. Satisfazia-a trabalhar para Katie.

Na casa da fazenda, próximo ao fim do dia, Rose passara a sentar-se no sofá perto da outra e esta falava com ela, enquanto lhe afagava as costas e o pescoço. A cachorra jamais permitiu a ninguém mais fazer isso.

Muitas vezes, virava-se para Rose e dizia-lhe:

— Só para nós, meninas — e ela deitava-se ao seu lado, enquanto Katie trabalhava nas colchas ou tricotava cachecóis.

Sentava-se embaixo da mesa do computador quando ela trabalhava ali ou no piso da cozinha quando cozinhava. Com o tempo, Rose passou a entender a palavra "meninas" como trabalho, mas não do tipo para o qual seus instintos a conduziam ou do qual trazia imagens. Além de novo para a cachorra, era bom.

— Jamais pensei que veria isso — murmurava Sam em voz baixa quando se deparava com as duas.

Adorava ver "suas mulheres" juntas.

Um dia de inverno, sentada no pasto, Rose vigiava as ovelhas. Caiu uma tempestade de gelo, o qual logo a cobriu. Criou-lhe crostas nos olhos, nariz, pelo, e Katie gritou para que ela entrasse, mandou-a deitar-se perto de um fogão aquecido, enquanto lhe retirava com delicadeza o gelo do pelo. O animal raras vezes, talvez nunca, se sentiu tão calmo e descansado e jamais deixou outro humano tocar-lhe o focinho. Sam, a quem se afeiçoava profundamente, não se relacionava com ela assim.

Ele disse à mulher que achava que Rose mudara desde que ela chegara, e era uma coisa agradável de se ver.

— É uma cachorra séria demais — comentou. — Viciada em trabalho.

— Sam, assim como você é!

E ele sabia que era.

Rose pensava em Katie muitas vezes durante o dia, mesmo quando trabalhava. Mas houve um dia específico em que se sentiu inexplicavelmente atraída por ela e seguir por toda a casa, chegando até a evitar sair para trabalhar. Katie notou isso de imediato e Sam também. A cachorra pressentira algo fora do normal.

Conseguia farejá-lo, quase o ver.

Ao longo dos meses seguintes, Katie se tornou muito mais imóvel e calada, as forças começavam a esvair-se dela. Não tinha o mesmo cheiro, nem falava, nem respirava da mesma maneira. Rose não entendeu na hora. Embora ela continuasse ali, assumira uma forma diferente.

Um dia, Katie deitou-se no quarto no andar de cima, onde dormia com Sam, e não tornou mais a sair de lá. Os passeios de manhã ou ao entardecer, o tempo que passavam no sofá, terminaram. Sam não a chamou mais para trabalhar fora durante alguns dias depois disso, porém a deixava no quarto com a mulher.

Rose sentiu-se tomada pela mesma sensação de quando trabalhava, sabia que havia algo a fazer. Saltava na cama e se deitava imóvel ao lado da doente, às vezes durante horas.

A princípio, ficou perplexa. Esperava que Katie se levantasse. Mas logo se adaptou à nova rotina, e seu mapa mais uma vez mudou.

Quando acordava toda manhã, a primeira coisa que Katie via era Rose a incentivar-lhe um sorriso cada vez mais raro. A cachorra em geral se deitava ao longo dela na cama, com os olhos abertos, e vigiava-a. Às vezes, quando via a doente calma e relaxada, ela adormecia. Mas quase sempre apenas a observava, prestava atenção ao ruído da respiração, ao batimento do coração.

As duas tornaram-se inseparáveis. Sam percebia isso e encorajava-o. Deixava Rose dentro de casa, saía para os afazeres da fazenda e cuidava sozinho das colheitas, a não ser que tivesse de tocar as ovelhas ou as vacas.

Rose notava-lhe a aprovação. O amor era um tipo de atenção que via claramente, ao qual reagia vigorosa.

Antes de Katie, o trabalho significava uma coisa para ela, mas agora era outra em tudo diferente.

Sentia a força na aparência e nas palavras de Katie. Tinha aguda consciência da doença e adorava a atenção, e logo associou as duas coisas.

Katie não sentia mais vontade de falar com frequência, nem com Sam. Era difícil demais, quando todos queriam que fosse feliz, melhorasse, e isso a fazia sentir que os desapontava. Rose nada queria dela, ficava contente apenas em ouvir. Em consequência, fazia isso. Tornou-se seu trabalho com a doente, tão importante quanto o de tocar as ovelhas. Embora fosse a mais enérgica e inquieta das criaturas, também era uma ouvinte surpreendentemente talentosa, concentrada e paciente. Jamais se cansava de ouvi-la, atenta a ela com sua inerente intensidade, e sentia-se cada vez mais protetora da outra. Quando alguém que não era Sam entrava no quarto, ela rosnava, eriçava os pelos no pescoço, tinha de ser silenciada por Katie ou Sam, ou até levada embora.

Muitas vezes, erguia o focinho para farejar o cheiro, ler o corpo, da acamada. O odor mudara, e Rose entendia o que esse significava. Impelia-a mais para perto dela, tornava-a mais atenta. Mesmo quando ouvia as ovelhas se deslocarem lá fora, sempre as ouvia se movimentarem, sentia-se atraída a ficar perto. Sentia que sua presença era calmante, via o olhar no rosto de Sam quando ela se deitava perto de Katie, e sabia que era isso que precisava ser feito.

Rose se transformou naquele quarto, alerta a todo ruído, não era mais apenas a cachorra trabalhadora frenética que fora. Relacionava-se com a doença e a dor em Katie, e esta entendia que a curar, ajudá-la e acalmá-la haviam se tornado o propósito do animal.

Ouvia-lhe o batimento cardíaco, corria em seguida, depois diminuía a velocidade. Captava os cheiros, o calor da coisa crescendo, os remédios, a mudança no tom da pele, o medo e a agitação, o odor do suor, o distúrbio geral no corpo. Via a disposição de Katie enfraquecer. Ouvia-lhe os arquejos e gritos de dor, a mudança de ritmo da respiração. Sabia tudo que lhe acontecia dentro do corpo, reagia a isso, deitava-se imóvel, aproximava-se e lambia-lhe a mão.

Viu outras pessoas, outras imagens, de outros tempos, pessoas em camas, em quartos, em campos, que se dirigiam a ela, a outros semelhantes, necessitando de atenção, necessitando de seu tato, da concentração dela.

— Por favor, fique — ouviu Katie pedir-lhe uma manhã.

Rose entendeu o comando "fique" e sentiu a força do pedido por trás.

Quando Katie tomou-lhe nos braços uma noite, falou em palavras que lhe pareceram conter preocupação. Rose observou-a atenta, enquanto ela falava, e admirou-se diante da tristeza e do afeto na voz. Inclinou as orelhas e alargou os olhos azuis de perplexidade, ao perguntar-se se aquilo talvez fosse um comando para algum tipo de trabalho.

Permanecia no quarto, saía apenas quando Sam chamava-a para fora e tentava fazê-la comer, o que raras vezes fazia. De vez em quando, ele tentava fazê-la sair de casa, porém ela quase não o acompanhava mais.

Uma noite, ele trancou-a no celeiro com as ovelhas e mandou que fosse dormir. Confusa, depois assustada, Rose latiu e ganiu ao ouvir pessoas, máquinas e ruídos dentro e ao redor da casa da fazenda. De manhã, Sam deixou-a afinal sair, ela se precipitou ao andar de cima e entrou no quarto.

Katie desaparecera. O perfume, o espírito, as roupas permaneceram, mas não a pessoa.

Rose começou a procurá-la, corria por toda a casa, incapaz de entender aonde ela fora.

Depois de toda a sua busca infrutífera, a cachorra escapuliu de volta ao quarto de Katie e arrastou-se para debaixo da cama e não se mexeu até que Sam, enfim, pensou em procurá-la ali.

Mas a tristeza não foi embora. Um grande vazio instalou-se nela. Toda manhã, procurava Katie na casa, na trilha, na mata. Toda noite, regressava para casa e corria até o quarto no andar de cima. Não encontrava a outra, não conseguia farejar um cheiro recente.

Rose perdera parte de seu propósito.

Katie tornara-se uma parte dela, mas não estava na fazenda, nem em casa, nem na mata, com Sam. Como tantas das imagens em sua mente, Katie começou aos poucos a desaparecer, absorvida em sua memória, e fundir-se com as outras lembranças na consciência. E, como sempre o fizera, ela se adaptou. Jamais abandonou Katie, no entanto, quase de forma automática, seguiu em frente.

Agora saía sozinha para o mesmo passeio quase toda manhã e toda tarde. E, todos os dias, deitava-se perto do tronco e esperava Katie trazer-lhe um pedaço de pão, embora ela nunca viesse.

Não importava o fato de que nunca a encontrava. Iria procurá-la todo dia pelo restante da vida, e talvez além. Às vezes ela sonhava com Katie, sonhava com o passeio na mata, sentada na cozinha, deitada debaixo da máquina de costura.

SAM SOUBERA após a primeira visita do médico que Katie não ia viver muito tempo.

A princípio, ele se surpreendeu com a afeição de Rose pela mulher agonizante, mas, quando pensou a respeito, isso fez sentido. De um ou de outro modo, a cachorra parecia saber tudo, e não havia limite para sua lealdade. Também lhe testemunhara a crescente ligação com Katie. Claro que ela sabia e claro que ficaria presente.

E assim, como tantas vezes acontecia, Sam não se interpôs no caminho de Rose e deixou-a fazer seu trabalho. Nunca fora bom com palavras ou emoções, e, embora sentisse profundo amor pela mulher, quase nunca sabia o que dizer. Apesar do conhecimento da situação, não pôde evitar tentar animá-la, tranquilizá-la. Mas percebia que Katie era inteligente demais para isso, e não havia boa notícia, tampouco haveria alguma.

Portanto, sentiu-se cada vez mais grato a Rose, cuja presença não pressionava a mulher. Ela dava-lhe apenas amor, alívio e companheirismo, enquanto ele cuidava da fazenda. Com a piora da doença, a compreensão por Rose de seu trabalho com Katie só pareceu aumentar. Próximo ao fim, era uma coisa surpreendente e poderosa de se ver.

Katie se preocupava com Rose e partilhava isso com ele. Ela absorve tanto, dizia. Ficaria com o ânimo abatido? Sentiria como se houvesse falhado? Saberia que fizera o melhor possível?

Sam tentou tranquilizá-la. Ela é um cão, disse. Um animal maravilhoso, mas, ainda assim, um cão. Eles seguem em frente. São assim.

Mais tarde, arrependeu-se de ter trancado Rose no celeiro quando Katie faleceu. Pretendera defendê-la, protegê-la de ver a amada Katie morrer, garantir que ela não falhara. Mas fora um erro. Sempre se certificara de que Rose visse todas as chegadas e saídas na fazenda. Era assim que o animal conservava seu mapa. Mas agora ele temia que ela jamais parasse de procurar Katie, pois sempre acharia que ia voltar para casa.

E nisso estava correto.

AGORA ROSE MANTINHA-SE vigilante por Sam naquela terrível noite de inverno.

Via-lhe a angústia e o ferimento enquanto deitado no sofá, via que ele estava pior, prejudicado de algum modo, e com muita dor.

Mas as imagens que não paravam de retornar-lhe agora eram do carneiro sendo arrastado afora pelos coiotes e da ovelha chamando-a para ajudar. O perigo se encontrava lá fora. E começava a clarear de novo.

OUVIU UM URRO. As vacas. Mal prestara atenção a elas, ficara perturbada demais por causa dos coiotes e Sam. Vira que os animais reagiam ao frio de modo diferente. As ovelhas, com toda aquela lã, aconchegavam-se em busca de calor. As vacas, com seus grandes flancos expostos, tinham de continuar a deslocar-se para escapar ao frio. Vira-as durante outras tempestades, andavam em círculos, moviam-se e mantinham-se fora do vento.

Ela saiu pela porta dos fundos da casa, contornou-a até o outro lado do celeiro, um caminho mais fácil, protegido do vento, e passou espremida pelo portão. Brownie mugia baixo, com três vacas paradas ao lado dele, no descampado. Viu que o abrigo para o qual os animais em geral iam desabara sob o peso da neve.

Pôs-se em marcha para buscar Sam, em seguida parou, pois uma imagem dele arquejando de dor surgiu-lhe repentinamente na memória. Rose sentiu que várias das vacas mal respiravam.

Ouviu a partir dos corações delas que uma estava morta, morta congelada no lugar, e as outras enfraqueciam.

Os animais tinham de locomover-se.

Embora também exausta, Rose disparou pela neve, lançou-se nas ancas de uma das vacas e mordeu. A vaca uivou, virou-se e bateu nas outras duas, assustando Brownie e as outras, e três delas pisotearam num círculo, pela neve, ao redor do destroço de seu antigo abrigo, e derrubaram um recipiente de alimentação congelado com um pouco de feno enfiado dentro.

Ela tornou a atacar, mordeu a vaca menor no nariz, tirando sangue. Ouviu-lhes os corações dispararem, sentiu o sangue fluir-lhes pelos corpos. Brownie foi o primeiro a ver o feno derrubado e trotou até a forragem. Rose estava ocupada demais o vigiando para notar a vaca atrás erguer o pesado casco dianteiro, depois o impulsionar para trás e acertar-lhe o lado da cabeça.

10

ROSE DEITOU-SE NUM NEVOEIRO ESCURO, A CABEÇA RODOPIANDO, estendida no topo de um monte de neve.

Jamais ficara tão completamente privada das ferramentas sensoriais pelas quais ela vivia, e logo a dor de respirar com dificuldade tornou-se quase insuportável, as costelas machucavam demais. A cabeça doía após o golpe do casco da vaca. Começou a chutar e, em seguida, a latir de forma automática, cada vez mais fraca, até parar de todo.

Ela fechou os olhos, respirou mais devagar e tentou entender o que lhe acontecia. Não conseguia compreender o mar de escuridão no qual parecia flutuar, com as imagens indistintas na cabeça, o ruído de seu coração enfraquecido, a nuvem escura que a envolvera.

Entendia o tempo apenas em termos de escuro e claro, de comer e dos ritmos dos animais da fazenda, de canto matinal dos passarinhos, do pio de corujas e do ganido de coiotes. Agora se sentia totalmente desorientada, seus sinalizadores e sentidos eram inúteis. A neve e o gelo não tinham cheiro, e Rose estava desorientada demais para ver qualquer coisa além de uma escuridão preta.

Não entrou em pânico. Ao sentir como mergulhava cada vez mais fundo na terra, sua resistência transformou-se em resignação.

A morte não era uma coisa boa nem ruim, mas uma coisa só sua. Rose sentia a morte fechar-se em volta de si, como a sentira envolver Katie.

Aceitou a morte, sonhou com trabalho e entrou num novo transe, um lugar além de sentimento e medo. Não sabia quanto tempo fazia que se achava estendida imóvel, fraca demais depois de alguns momentos para lutar, incapaz de mexer-se. Estava ciente de que sentia sede e fome.

Fechou os olhos, as imagens moviam-se mais devagar agora por sua mente, os irmãos, a mãe, as ovelhas, a fazenda, Sam. Começou a sonhar. Via ovelhas pastando e outras andando. Farejava animais na mata, botões em árvores e flores, o cheiro de carneiros. Sonhava em afugentar os reprodutores beligerantes, caminhar com o fazendeiro pelos campos, com a agradável sensação de conduzir as ovelhas de volta aos celeiros e pastos à noite, quando o Sol se punha, o fazendeiro fechava o portão e dizia: "Bom trabalho, menina", quase para si mesmo. Como isso soava afetuoso e bom, e como se sentia aliviada por ter trazido as ovelhas de volta em segurança, poder deitar-se na casa da fazenda com Sam, fechar os olhos, descansar. Ouvia Sam chamar-lhe, Katie conversar com ela, via a própria mãe lamber-lhe o pelo.

Sonhou que era um filhote, com o guincho de morcegos, abelhas na colmeia, vermes na terra, e, em seguida, um sonho estranho com o cachorro selvagem, um cachorro jovem a tocar vacas para fora de um celeiro, que corria, mordiscava e movia-se em círculos. Era um cachorro forte, confiante, com bastante energia.

Depois teve uma imagem de si mesma muito distante.

As ovelhas, com a cabeça abaixada, acomodavam-se no pasto. Ergueu os olhos, viu o Sol começar a se pôr acima da colina. Virou-se e se pôs a correr ao redor do rebanho, numa corrida ampla, mais rápida, a galope, com o rabo reto atrás, o pelo voando ao vento, os ruídos e os cheiros do prado derramando-se torrenciais dentro de si. Depois tornou a virar-se em direção às ovelhas, as quais levantaram a cabeça, voltaram-se e começaram a deslocar-se pelo pasto, e ela, bem atrás dos animais, impelia-os de um lado para o outro, poeira, relva, lama na cara, pura alegria em cada membro e músculo.

Após uma longa corrida, cada última ovelha e retardatária tendo cruzado o portão aberto, Rose sentava-se, com a língua comprida dependurada. Se fizesse calor e tivesse uma grande banheira de água, ela a escalava e entrava para refrescar-se. Ficava perto do portão até Sam chegar e fechá-lo, o que significava a conclusão de seu trabalho. Causou-lhe uma sensação tão boa quanto a que sempre sentira, e agora se agarrou a isso.

Começou a sentir uma libertação, um relaxamento das pressões do trabalho, vida, responsabilidade, preocupação e até do amor. Entrava num lugar diferente, um sem tempo, nem marcações, nada além de descanso.

Rose entrou num espaço mais silencioso do que alguma vez conhecera.

Estava numa margem arenosa, à sombra de árvores. Era fresco na borda de um imenso lago cristalino, em cuja superfície tão lisa ela não via uma única ondulação. Parecia de manhã, logo depois de o Sol despontar.

No outro lado do lago, viam-se luzes azuis, incontáveis luzes, até o mais distante que sua vista alcançava. Ela nadou, e sem esforço, como se a água não oferecesse nenhuma resistência. Quase chegou ao outro lado, e ali as luzes a envolveram.

Ao se aproximar mais, viu que as luzes eram os espíritos de cachorros. Alguns estavam sentados, outros esperavam, alguns atravessavam a água para o outro lado. As luzes, fluidas, porosas e desencarnadas assumiam a forma de cachorros, em seguida de luzes, depois mais uma vez de cachorros.

Notou, ao nadar mais para perto, que o outro lado era cheio de florestas e prados, e ouviu latidos e os cantos de pássaros. À sua espera na margem, encontravam-se uma fêmea e alguns filhotes, e só quando deslizou até a ribanceira ela os reconheceu.

Viu os irmãos, as irmãs e, com eles, sua mãe.

Era uma cachorra linda, maior que Rose, com luminosos olhos castanhos, pelo preto com uma mancha branca na testa, uma pura border collie. Calma, receptiva, abanou levemente o rabo diante da visão de Rose. Não se mostrava expansiva, apenas tranquila, amorosa, acolhedora e satisfeita ao ver a filha.

Elas tocaram os focinhos, farejaram uma a outra. Rose lambeu-lhe rápido o lado do focinho várias vezes. Os irmãos e irmãs, ainda filhotes, conheceram-na e ficaram excitados, contorceram-se, guincharam e cobriram-lhe de lambidas. Todos tinham a mesma aparência de quando os vira pela última vez. E, talvez, ela também. Não sabia.

Talvez pela primeira vez na vida, Rose sentia uma medida de verdadeiro descanso e tranquilidade. Jamais imaginara nada além de trabalho ou responsabilidade, jamais pensara em paz.

À sua volta, cachorros entravam na água e nadavam de um lado ao outro do lago, na forma animal num dos lados, enquanto refletiam luzes e imagens do outro. Alguns descansavam, outros esperavam para atravessar. Moviam-se de um lado ao outro num padrão infinito. Era quase dolorosamente fascinante e hipnótico para Rose. Mais rico, colorido e acalentador do que qualquer coisa na fazenda ou na mata, tanto quanto ela adorava correr lá.

Após alguns minutos, a mãe enxotou os filhotes e sentou-se perto dela. As duas se deitaram juntas e descansaram em silêncio. A mãe partilhou imagens, sentimentos e experiências com a filha.

Rose mostrou-lhe a tempestade cruel, Sam, Katie, o medo, os coiotes, a morte e o perigo na fazenda, na nevasca, a sensação de ser subjugada e a comoção de escolha na alma. E, agora, o nevoeiro preto e gelado que sufocava tudo, visão, faro, ruído, consciência.

Sentiu que a mãe partilhava essas imagens, embora não oferecesse solidariedade ou consolo. A filha não esperava isso, nem sequer entendia a ideia. O propósito de um cachorro era servir, aprender e partilhar, não reconfortar ou dirigir. Tinham espíritos independentes uns dos outros, suas vidas e destinos próprios.

Tratava-se de um lugar de espera, a mãe a fez entender, aonde iam os espíritos de cachorros até que os chamassem de volta. Ela mesma fora de ida e volta muitas vezes, e assim iria Rose. Sempre se encontrariam ali, como faziam os cachorros relacionados uns com os outros.

Estava na hora de Rose voltar, comunicou-lhe a mãe. O destino de um cachorro trabalhador, qualquer cachorro, consistia em ser chamado para servir e depois chamado de novo repetidas vezes. O descanso era apenas temporário. Aquele era um lugar de cura, um lugar para reforçar o espírito e a vontade, proporcionar força e resistência para a vida mais dura no outro lado.

Um lugar de reinvenção.

Rose sentiu a mente clarear, a vontade e o propósito renovados, os instintos aguçados e fortalecidos.

Passado algum tempo, a mãe levantou-se, tocou-lhe o focinho com o seu e desapareceu no mar de luzes azuis espirituais, tremulantes, que cintilavam por toda a volta dela. Os filhotes a haviam acompanhado.

Não houve despedida.

Rose virou-se e olhou aquele lindo e rico lugar ao redor, cheio de cheiros, luzes, ruídos e cores, com todos os seus sentidos engrenados, mas serenos.

Em seguida, tornou a escorregar lago adentro e deslizou, em vez de nadar, de volta para o outro lado. Sentiu, adiante de si, a fazenda e a tempestade enfurecida à sua espera.

ELA TENTOU ABRIR os olhos, insegura de onde fora, ou se de fato fora a algum lugar. Mais uma vez, esforçou-se para se mexer, respirar, porém de novo se entregou àquele estranho estado de resignação, de aceitação. Fechou os olhos e tudo ficou escuro novamente.

Em seguida, moveu-se.

De repente, pressentiu um movimento acima, sentiu pressão, ouviu um zurro, sentiu um macio focinho no nariz. O chão pareceu mover-se quando foi empurrada rudemente para o lado.

Tonta, confusa, ainda tinha a cabeça zunindo do coice da vaca. As costelas doíam-lhe da queda na neve, e Rose respirava ruidosa, molhada, cada respiração uma luta. Sacudiu a cabeça e começou o que parecia uma longa subida e saída de um buraco profundo.

Sentiu mais uma vez o focinho. Ouviu um zurro. Estava sendo empurrada, forçada a levantar-se. Abriu os olhos e viu o focinho de Carol, a mula.

Ela e Carol tinham pouco a fazer uma com a outra. Não gostava de mulas nem de cavalos; eram demasiado independentes, descuidados, e eles retribuíam o sentimento. Carol chegara até a chutá-la uma vez, igual ao que fizera a vaca, e tentara mais vezes, além dessa.

Mas agora se mostrava delicada, encorajadora, de forma muito semelhante à de Rose com Sam quando ele caiu. A mensagem da mula era clara. Levante-se. Usara o focinho quente e os cascos para movê-la, despertá-la.

A cachorra aos poucos recobrou os sentidos e devagar se levantou, olhando as vacas atrás.

Ao recuperar a consciência total, estava de volta na tempestade, em cima da massa de neve desabada perto do celeiro, tentava orientar-se, entender onde se encontrava e o que acontecera. Mas não conseguiu, na verdade, não. Imagens fluíam rápidas na mente, Sam, o cachorro selvagem, as ovelhas, a tempestade, o gelo, as vacas e bois, as cabras, Winston.

E em seguida, a imagem das vacas tornou-se clara. Ela virou-se para ver como estavam e ouviu-lhes os corações baterem, viu o vapor saindo dos narizes. Estavam todos bem agora.

O cachorro selvagem saiu do celeiro e sentou-se atrás dela. Subiu com dificuldade pela neve, como se para conduzi-la a algum lugar, e Rose seguiu-o, ainda fraca.

Ele parou, virou-se para lamber-lhe as patas cobertas de sangue, farejá-la e empurrá-la adiante com delicadeza. Ela permitiu. Levou-a para o lado do celeiro e passou pela abertura. Rose acompanhou-o até o interior, saiu do pior do vento e da neve, e adormeceu num fardo de feno.

Não quis saber como Carol saíra para atravessar a neve e despertá-la. Nem por quê. Não tinha importância.

QUANDO ACORDOU mais tarde, sentiu-se abalada, esgotada, assustada com o que viu. Era pleno dia agora, e ela ali no grande celeiro. Mas não tinha a menor ideia de quanto tempo ficara fora da casa, na neve, e depois adormecera. Sentia todas as partes do corpo doloridas, sobretudo os flancos, que doíam a cada respiração.

Continuava a nevar, no entanto mais leve agora. O vento silenciara um pouco. Rose sentiu a tempestade começar a diminuir por enquanto, embora soubesse que mais ia chegar. Também sentia que a vida ainda se achava longe do normal, para ela e o restante dos animais na fazenda e na mata.

A neve entrara pelas laterais do celeiro. Duas ou três partes do telhado haviam desabado, e detritos espalhavam-se pelo chão. Fazia silêncio, uma escura desordem de máquinas, sacos de ração, feno molhado, excrementos, até ovos podres. O frio evitava parte do cheiro e da deterioração. No entanto, embora não estivesse quente no celeiro, este ficava protegido do pior do vento, neve e gelo no lado de fora.

Pelo menos por enquanto era um refúgio para Rose, um lugar onde recuperar a energia, prepará-la para o que vinha em seguida. Também sentia algo semelhante a gratidão, apreciação, pela mula que de algum modo a despertara. A escuridão aproximara-se e em seguida, de forma quase tão inesperada, havia luz.

Agora, a cachorra ouvia uma nítida série de estalos vindos das paredes do celeiro, os canos no sistema de serpentina do aquecimento de água, usados para transportar água no inverno, haviam estourado. Apenas um filete de água saía, e os animais logo tornaram a acomodar-se. Em contraste com o frio e o vento que se intensificava logo na saída do celeiro, o ruído parecia pequeno.

AS COISAS NO CELEIRO pareciam diferentes agora. Rose sentia a falta de movimento animal, deslocando-se, à procura de comida. Fazia silêncio. Os animais de fazenda, sobretudo as ovelhas, ficavam em geral desconfiados da cachorra, mas hoje se via ausência de medo. Os animais, as galinhas, as gatas e uma vaca que havia entrado espremida pela porta aberta, todos a olhavam, o que era incomum. Seu mapa parecia aguçar-se.

Ou ela mudara, ou todos os animais reagiam diferentes a ela.

Rose não tinha nenhum relacionamento real com esses animais, as gatas, galinhas, vacas. Ao contrário das ovelhas, eram espécies mais independentes e raras vezes precisavam ser arrebanhadas ou deslocadas. Em geral, eles pareciam tão perturbados por ela quanto ela por eles. Mas ali estava a cachorra nessa nova realidade, dentro do celeiro no meio de uma tempestade enfurecida, com uma confusão de criaturas que quase nunca seriam encontradas juntas assim tão perto.

Estranha, ou mesmo sem precedente, essa curiosa reunião. Como isso pareceria bizarro para Sam se ele pudesse vê-lo. As diferentes espécies da fazenda coexistiam, mas sempre ficavam em seus próprios lugares previsíveis, sempre com os de seu grupo, guiados por algum tipo de autoconsciência que existia no limite da compreensão de Sam, e no da maioria das pessoas, da consciência animal.

Sam teria ficado perplexo pelas inúmeras coisas curiosas. Veria Rose e o cachorro selvagem ali deitados juntos, lambendo as feridas e limpando os pelos um do outro, numa ligação que apenas eles dois partilhavam.

Nos fundos do celeiro, Brownie, o touro jovem, enfiara a cabeça numa das janelas que uma rajada de vento abrira. Estendia-a dentro para comer de um fardo de feno diminuído, os outros fardos longes demais da janela para o animal alcançar. Como as ovelhas, as vacas e os bois não tinham comida alguma, todos os recipientes de alimentação estavam agora cobertos por neve e gelo.

Sam teria visto a gata Eve deitada perto de Winston, a ronronar baixinho, enquanto o pomposo galo circulava abaixo das galinhas empoleiradas. Dentro do celeiro, as galinhas ainda tinham alguma comida, mas esta também minguava. E elas nunca se aventuravam a sair numa tempestade.

Todos os baldes de água haviam congelado. A neve soprada pelo vento das janelas espalhava-se por todo o chão do grande celeiro, escuro com a energia cortada, mas clareado pela luz refletida da neve.

Algumas andorinhas haviam se refugiado nos cantos superiores do celeiro. Rose erguia de vez em quando o olhar, pois um camundongo ousava fazer um movimento por um fardo de feno.

Era o cachorro selvagem que parecia mais necessitar de seu tempo e atenção. Ela sentia que ele continuava a enfraquecer. O animal abaixou a cabeça e, naquele lugar úmido e frio, Rose sentiu um calafrio e começou a tremer. O momento tornou-se deles, no que dizia respeito aos cachorros, em seu específico tipo de linguagem, além da consciência das pessoas. Com o vento ainda a soprar, os dois examinavam os cheiros nos celeiros, os ruídos de camundongos e ratos que rastejavam nos cantos.

Desprendia-se uma tristeza do cachorro selvagem, uma sensação de gravidade. Mesmo coberto de saliências, inflamações e feridas, ele era um cão bonito, orgulhoso, cansado de sua vida sozinho, sem trabalho ou propósito.

A fazenda agora também era do cachorro selvagem. Enquanto fosse capaz, sentia-se grato por mais uma vez ter trabalho. Sentia inatos respeito e afeição por aquela intensa cachorrinha. Ela era dedicada, séria e inteligente, como ele fora antes, como seria, enquanto vivesse.

Rose não tinha tanta idade, não passara pelas mesmas situações. De certo modo, porém, ela e o cachorro selvagem haviam se tornado amigos agora. Os dois eram independentes, viviam à custa de seus instintos, sem direção humana, e tanto trabalho ainda a ser feito.

AINDA TRÊMULA, ROSE abriu caminho pela neve e pelo gelo até a casa para informar-se sobre Sam. Encontrou-o ainda no sofá, sentado e embalando o braço. Viu-o tomar mais pílulas do frasco perto da mesa e depois adormecer num sono mais uma vez intermitente.

Quando retornou ao celeiro, encontrou-o tranquilo, as galinhas cacarejavam e dormiam, enquanto o grande touro mastigava ruidoso no feno, o dia avançava devagar, embora a diferença entre dia e noite houvesse se tornado quase sem importância na fúria da nevasca.

Ela sentia que a tempestade continuava imensa e nem de longe cessaria.

Os ovinos, que gritavam do celeiro sobre estacas, já se mostravam nervosos e famintos. A ovelha continuava a balir alto pelo seu filhote perdido. Decerto, os coiotes retornariam mais famintos, mais bem preparados, fortes e em maior número. As raposas também estariam famintas.

Ao anoitecer, os animais começariam a procurar a sério comida e água. Não haveria nada. As ovelhas iriam exigir-lhe a presença, para mantê-las calmas, talvez para afugentar os coiotes. E esperariam que ela as conduzisse à comida, como Rose fazia dia sim, dia não, de suas vidas.

O celeiro parecia cheio de luz suave, uma luz aquecida como se pelo sangue dos próprios animais. A madeira, o telhado e os canos em todo o espaço, todos grunhiam, estalavam e sibilavam numa estranha sinfonia, mas os animais olhavam para Rose, sentindo que ela era a líder.

Brownie parou de comer, as cabras de se queixarem, as galinhas abriram os olhos nos poleiros, inclinaram a cabeça e ergueram os olhos para a cachorra, como se à espera de alguma instrução dela. As andorinhas silenciaram nas vigas, e até os ansiosos gritos e uivos dos coiotes no alto da colina pareceram ficar mais baixos.

Rose sentia-se privada de atenção e foco. Não sabia o que se esperava dela. As imagens que se precipitavam pela mente reduziram a velocidade, mudaram, acalmaram-se. Por um momento, a tempestade simplesmente *existia*, e parecia quase linda e eterna.

Ela e os animais acomodaram-se assim durante um longo tempo.

MAS, COM A MESMA RAPIDEZ com que se instalara a quietude, a vida retornou. O estado de ânimo mais uma vez mudou, e terminou aquele período de comunhão e reflexão.

Frio, fome, medo, tudo começou a insinuar-se de volta na consciência de Rose, que, como a dos outros animais, consistia em vida. Fosse o que fosse que acabara de transpirar no celeiro, todos os instintos deles eram inflexíveis em relação a uma única coisa: sobrevivência.

À medida que transcorria a manhã, o vento gritava, a neve tornava a intensificar-se, o frio se infiltrava pelas fendas e rachaduras do celeiro. Os camundongos começaram a deslizar apressados ao redor, e os animais retornaram às suas maneiras normais. Eve desapareceu dentro das vigas; faminto, Brownie mais uma vez se pôs à procura de feno, e Winston começou a emitir aquele canto de estourar os tímpanos.

Por volta do meio-dia, Rose ouviu um estampido e, em seguida, um silvo. Saiu trotando, ergueu os olhos e viu uma bola azul-clara disparada da casa da fazenda bem distante no céu. Ardia mais brilhante que qualquer Lua, Sol ou estrela, e só o que ela distinguiu foi que vinha da varanda. Não conseguia entender o que era, mas a observava petrificada, enquanto o objeto se elevava cada vez mais alto e ardia com um brilho ainda maior, mesmo através das nuvens e neve.

As ovelhas começaram a balir, ela se afastou e apenas o ouviu, ao refazer sibilante o caminho de volta ao chão, bem longe na mata.

A mente da cachorra disparava numa bagunça de imagens confusas, nenhuma das quais parecia de fato encaixar-se. Não havia pasto, nem feno nos recipientes, nem água nas gamelas. Nada de Sam nas máquinas para deslocar as coisas.

ROSE PROCURAVA Sam, de onde vinha a direção dela, onde começava o trabalho. Abaixou a cabeça para a longa e exaustiva subida pelos depósitos de neve até a fazenda. Cada passo era difícil, tinha o pelo coberto de neve, os olhos incrustados, a respiração ainda dolorosa, enquanto se encaminhava para a casa da fazenda, o vento soprando direto na cara.

Já se achava bem fora do portão quando ouviu o rosnado do cachorro selvagem bem longe atrás de si. Ergueu os olhos e surpreendeu-se ao se ver cara a cara com três coiotes, os quais a cercavam num círculo.

O coiote que ela conhecia não se incluía no grupo e, quando os encarou nos olhos, no mesmo instante ficou claro para Rose que eles não haviam vindo em busca de ovelhas nem de galinhas. Haviam vindo à sua procura. Famintos, determinados, posicionados em modo de caçar, puseram-se a uivar e latir, fazendo sinais entre si de que tinham encontrado uma caça, encontrado comida, e agora pediam ajuda aos outros.

Rose não calculava probabilidades. Podia fugir ou lutar, mas nunca fugira, nem de uma ovelha, ou um carneiro, ou uma vaca. Nem sequer teria sabido como o fazer. Defender seu terreno era simplesmente o que fazia, por isso abaixou as orelhas e expôs os olhos, quando um dos coiotes os recebeu em resposta.

Sabia que o ataque viria dos outros dois, que a função daquele consistia em apenas mantê-la concentrada nele. Preparou-se para lutar e assustou-se tanto quanto os coiotes com o alto estrondo e o clarão de luz que irromperam da janela da casa. Quase antes que ela pudesse mover-se, os animais puseram-se em fuga, colina acima, e embrenharam-na mata.

Sam gritou alguma coisa da janela atrás, e Rose virou-se para orientar-se. Em seguida, rumou até os fundos da casa e entrou na cozinha, onde ele, envolto em tipoias, capengava, com o rosto retorcido de dor, achava-se em pé com o rifle perto da porta dos fundos.

O CORAÇÃO DE SAM disparava com a adrenalina bombeando forte o bastante para mascarar parte da dor no braço. Saíra para esquadrinhar o horizonte à procura do resgate, o qual esperava que chegasse depois de seu foguete de sinalização. Ali, vira Rose cara a cara com três coiotes. Assim que a cachorra entrou, ele mandou-a ficar. Ela deitou-se e fechou os olhos para descansar. Despertou quando o dono levantou-se e cambaleou até a porta dos fundos.

— Rose — disse. — Vou ter de sair daqui. Enviei um foguete de sinalização em busca de ajuda, o que significa que ficarei fora pelo menos por alguns dias. No entanto, preciso pegar mais feno para os animais. Morrerão de fome se eu não retirar alguma comida para eles.

Ela observou-o atirar uma capa de borracha sobre os ombros, em meio a gemidos de dor. Acompanhou-o até a porta dos fundos e parou no vão.

— Rose, saia da frente. Tenho de chegar até lá. Posso me arrastar se tiver de...

Sam passara a vê-la como uma extensão de si mesmo. Raras vezes nem sequer precisava dar-lhe uma ordem, a cachorra antecipava-se, mas, quando o fazia, ela reagia no mesmo instante. Amava-a por isso.

Agora, chocou-se com o que viu. Parada, Rose tinha a cabeça baixa, quase num agachamento funcional. Emitia um baixo rosnado, os dentes expostos. Não se mexia.

A princípio, ele achou que reagia a alguma coisa atrás dele, ou a algo que vira ou ouvira no lado de fora. Mas a examinou, não, olhava-o direto nos olhos. Rosnava para ele.

Sam afinal conseguiu esbravejar.

— Rose! Que está fazendo? Menina má! Saia do meu caminho. Que é que há com você?

Gritou surpreso quando ela se lançou impetuosa e mordiscou-lhe a mão esquerda quando ele a estendeu para a maçaneta. Cambaleou para trás, e a porta fechou-se. Quando tornou a estendê-la, Rose atacou-lhe mais uma vez a mão. Sam gritou e caiu para trás de novo.

— Rose, me deixe sair! Que é que deu em você? Foi mordida por algum hidrófobo?

Toda vez que abria a porta, ela se lançava, rosnava e mordia.

Por um longo tempo a porta permaneceu fechada e, em seguida, ele conseguiu abrir uma fresta.

Ele deu-lhe um longo olhar. Achou que talvez houvesse enlouquecido. Ela retribuiu-lhe o olhar. Os dois se encararam pelo que pareceu um longo tempo.

Examinava aquela criatura, surrada, abatida e visivelmente próxima à exaustão. Embora abaixasse a cabeça, olhava-o fixo. Não estava louca. Acompanhara-o em cada passo do caminho, durante cada minuto da tempestade. Arrebanhara as cabras e as vacas quando haviam fugido, contivera as ovelhas. Surpreendeu-se ao notar-lhe o inchaço no lado direito da cabeça, uma saliência grande do tamanho de uma pera. Alguma coisa a chutara ou atingira.

E desenterrara-o da neve. Estaria congelado, morto, se não fosse por ela. Lembrou-se de que lhe pedira ajuda e de algum modo a cachorra o ouvira. Agora *lhe* dizia algo. Ele devia-lhe isto: ouvi-la.

Lembrou-se de seu fiel amor por Katie quando adoeceu. Rose não era apenas um animal que ele precisava para administrar a fazenda, era tudo o que tinha.

Ao examinar-lhe os olhos que gotejavam neve e gelo, açoitando-lhe o focinho, soube que de modo algum ela iria desistir ou recuar. Jamais conseguiria golpeá-la. E percebeu com clareza que Rose vinha enfrentando um trabalho de verdadeira violência na tempestade, algo com que ele ficara absorvido demais nos próprios problemas para tomar pleno conhecimento.

Logo ambos iriam partir para longe da fazenda. Tinha de aceitá-lo. Não podia deixá-la naquele terrível estado.

Rose não vacilou. Manteve-se em silêncio por tanto tempo quanto ele ficou imóvel, mas, se ele avançasse centímetros, o rosnado elevava-se da garganta da criatura. Não vai deixar-me sair, pensou. Olhou para o sangue nas mãos, na tipoia, sentiu a dor horrível no braço e na perna. Lembrou-se do avô: "Ame a fazenda, mas também ame a si mesmo".

Fechou a porta e cambaleou de volta para dentro de casa, onde se deitou no sofá.

— Tudo bem — ele resmungou. — Vamos aguardar socorro.

Embora não entendesse o que Sam disse, Rose reconheceu a resignação, a submissão. Esperou até vê-lo instalado de novo no sofá, antes de retornar sozinha ao pátio do celeiro.

11

HOUVE UMA PAUSA NA TEMPESTADE AO ENTARDECER, uma interrupção na pesada nevasca, embora o frio de matar houvesse, na verdade, piorado.

Rose aguçou a atenção para o ruído de um motor enorme, poderoso. O barulho vinha de cima e continuava muito distante. Na mente, associou-o a Sam. Ela partiu do celeiro e começou a escalar os bancos de neve, aos tropeços, ao voltar para a casa.

As patas ainda doíam. A cabeça até mais. Numerosas imagens novas atravessavam-lhe apressadas a mente, e as preocupações entravam em conflito. Vacas e bois talvez ainda congelassem, ali mesmo onde estavam, se não se deslocassem ou comessem, como quase aconteceu na noite anterior. Afastou essa imagem para o lado, quando o barulho rápido, rápido, de um helicóptero mais no fundo do vale surgiu, através do nevoeiro e neve. Rumava direto para a fazenda, e Rose aferrou-se a ele.

SAM VINHA PENSANDO no foguete de sinalização desde que o disparara e perguntava-se se fora visto. Àquela altura, avaliava que o braço infeccionara. Torcia por não o perder. Dores agudas e febre espalhavam-se pelo corpo todo. Antes, naquele dia, durante uma breve pausa na tempestade, que coincidira com a hora combinada para enviar os sinais, ele se arrastara para sair com a pistola até o jardim da frente e lançara o pequeno foguete no céu, seguido por uma coluna de fumaça. Sabia que outros fazendeiros estariam à procura de sinalizadores e que também helicópteros talvez circulassem sobre as fazendas isoladas bloqueadas pela tempestade, à procura de sinais. Se aquele não resolvesse, planejava tentar de novo em algumas horas.

Tentara arrumar uma mala durante a noite, manter-se desperto apesar da sonolência e dos calafrios, e não parou de chamar Rose para que entrasse. De modo algum a deixaria sozinha na fazenda; ela iria com ele. Mas se alguma coisa desse errado, queria certificar-se de que a cachorra não ficasse sem comida. Por isso, usou o braço bom para puxar um enorme saco de ração animal moída grosseiramente da prateleira e despejou-a perto da porta dos fundos, a de cachorro, para que ela tivesse alimento se de algum modo os dois se separassem. O esforço custou-lhe e exigiu-lhe um longo tempo.

Mas isso foi só para acalmar-lhe a mente. Determinara-se a fazê-la partir. Ia obedecer a ele. Sempre o fizera. A não ser naquela manhã.

QUANDO O HELICÓPTERO surgiu no outro lado do vale, os animais o ouviram antes de Sam. Enquanto se aproximava, soltava foguetes de sinalização para avisá-lo da chegada. O barulho do motor deixou os animais ansiosos, os estrondos os assustaram. A própria Rose sobressaltou-se com os repentinos disparos.

Correu para a porta dos fundos, ansiosa, sem conseguir entender aquele novo acontecimento. Chegou à saliência do telhado, empurrou a porta giratória e surpreendeu-se ao ver a pilha de comida de cachorro no chão, as vasilhas de água, uma delas já coberta por um fino reflexo de gelo. Com um rosnado baixo, saiu à procura de Sam, o rufo eriçado na ponta.

Esperava-a na porta da frente, segurando uma mala de forma frouxa com o braço bom, e ela absorveu o calor, o suor, que se desprendiam dele e a atitude confusa. No mesmo instante identificou um humano ou animal doente. Parecia desorientado, não a pessoa que era.

O barulho do motor aproximou-se mais, até dar a impressão de que pairava bem acima da casa. Rose acovardou-se, latiu e recuou um pouco, até Sam chamá-la, incitando-a para a frente.

O imenso helicóptero verde pareceu-lhe um pássaro monstruoso e ameaçador. Desceu num rodopio estrondoso, a neve soprando para todos os lados, quando se aproximou do jardim da frente, pairando acima do chão.

Em pé no vão da porta, Sam protegia-se da rajada do mecanismo giratório e da neve. Ali fora no jardim da frente, desceu uma escada direto do céu. O ruído do helicóptero quase ensurdecia a cachorra. Esses tipos de barulho privavam-na de coragem, mas Sam chamava-a, gritava-lhe para que fosse. Ela notou-lhe o aspecto amarelo-claro no rosto, os olhos injetados, o cheiro de dor e preocupação.

Em seus sete anos de vida, sempre fora quando ele a chamava. Talvez uma ou duas vezes não o tivesse ouvido, quando se achava em acirrada perseguição de uma ovelha ou carneiro, ou um trator na estrada, mas quando ouvia, sempre lhe obedecia o chamado.

Até então.

SAM ENCAROU-A direto nos olhos e disse em voz alta e clara:

— Rose, venha. Venha para mim. Agora mesmo. Estou ferido. Não podemos ficar aqui. Se eu não sair agora, não conseguirei sair, Rose, venha. Temos de ir.

Foi naquele momento, pela primeira vez, que lhe ocorreu que ela não podia deixar a fazenda.

Sabia que se assustara quando viu uma escada baixar e dois homens de macacões azuis, capacetes verdes na cabeça, descerem de repente no jardim da frente. Rose rosnou, latiu, rodopiou e, em seguida, atacou, decerto por não os reconhecer como pessoas, tentando afugentá-los. Sam mandou que ela se calasse e recuasse.

Estendeu-lhe o braço bom, implorou a ela, ordenou que viesse, virou-se para os dois homens e pediu algum tempo. Disse-lhe que não podia deixar a cachorra. Ambos ergueram os olhos para o céu, as nuvens que giravam, acumulavam-se, então fizeram que não com a cabeça e deslocaram-se em sua direção. Cada um parou num lado dele, um tomou-lhe o braço bom e conduziu-o cuidadoso, com delicadeza, mas firme, varanda afora. Sam sentia tanta dor que nem sequer podia pensar em resistir.

Viu as grandes rajadas de neve cair por todo o pátio e então se virou de costas para sua cachorra, agachando-se e recuando-se.

— Rose — disse. — Venha. Por favor.

Tinha lágrimas nos olhos, algo que só sentira um punhado de vezes na vida. Pensou em Katie. Viu Rose erguer a cabeça tomada de perplexidade. Ela recuou alguns passos, avançou aos poucos de costas para a porta dos fundos. Sam soube então, pela expressão naqueles olhos.

— Espere — gritou para um dos guardas, acima do estrondo —, me esqueci da foto de minha mulher. Preciso ter uma foto. Katie. Está bem ali.

Apontou uma foto dela na mesa do corredor. — Tenho de levá-la. Preciso ter alguma coisa dela — implorou.

Um dos guardas assentiu com a cabeça e correu para pegá-la.

Rose recuou, fora de alcance, observando o guarda pôr a foto dentro de um bolso lateral e apressar-se até Sam, o qual tornou a parar e chamou-a mais uma vez.

— Venha cá, cachorra. Deixe-nos tirá-la daqui.

Mas ela rosnou, expôs os dentes e recuou para a sala de estar, bem fora de alcance.

Sam olhou em volta, tentando absorver o que acontecia. Nuvens de neve caíam ao redor em torvelinhos, o barulho cadenciado do helicóptero abafava todos os outros ruídos e o fazia sentir-se como aprisionado num pesadelo. Imaginou que estava mesmo.

Para Rose, tudo era confuso, estranho e assustador.

Mas ele viu que algo mudara.

Ela o ouvira gritar o nome de Katie, e ficara mais calma, concentrada, como se fosse um comando que entendia, dando a impressão de que de repente compreendia o que acontecia, como trabalhar para ele.

Pareceu tomar uma decisão. Virou-se, afastou-se e desapareceu no fundo da casa. Sam surpreendeu-se. Imaginou apenas que fora para longe do barulho do helicóptero.

Tornou a chamá-la, e, quando a cachorra retornou, ele viu que trazia alguma coisa. Não a levou para o dono. Apenas a largou na sala, longe da porta.

Então Sam percebeu o que era: um dos tênis de Katie, do tipo que sempre usava nos passeios pela mata com Rose. Era para ele?

Sam gritou chamando a atenção dos guardas, mas os dois continuaram a conduzi-lo para fora da varanda. Então berrou e apontou, quando um deles correu até o interior da casa e pegou o tênis.

Rose parara de rosnar e tremer agora, não mais se agachava nem recuava. Permanecia, no entanto, fora do alcance, apenas o encarando.

— Rose — ele gritou. — Obrigado. — Começou a implorar-lhe, com um tom que ela jamais ouvira antes, o que a fez inclinar a cabeça para distinguir os sons com mais nitidez. — Venha. Por favor. Venha comigo.

Sam sabia que não podia dar-lhe ordens agora. Podia apenas pedir.

Por fim, virou-se para os dois homens que o enfiavam num colete, amarravam-no em volta do torso e imobilizavam-lhe o braço. Já lhe haviam injetado morfina, e ele começava a senti-la.

— Ela não virá — gritou. — Jamais abandonará as ovelhas, nem a fazenda.

Mas os guardas não se interessavam mais por Rose e logo o prendiam atado dentro do helicóptero. *Estou perdendo tudo*, pensou. *Já perdi Katie. E nunca mais verei essa cachorra.*

Balançou a cabeça e tentou recompor-se.

— Rose, eu voltarei. Assim que puder. Deixei comida.

Sentia-se tolo, envergonhado, sabia que ela não podia entender, porém as palavras lhe escaparam ainda assim. Não estava habituado a exibir tanta emoção diante de ninguém, muito menos de dois homens estranhos.

Implorou-lhes mais uma vez que tentassem pegar Rose, mas eles fizeram que não com a cabeça. E Sam sabia que jamais a pegariam, se ela não o quisesse.

Entendia agora que a cachorra jamais entraria no helicóptero, viva, não.

Dessa vez ela recebeu o olhar dele, e as duas criaturas, fazendeiro e cão trabalhador, encararam-se um nos olhos do outro. Nenhum dos dois tinha a linguagem, as palavras.

Ao elevar-se do chão, lágrimas escorriam-lhe pelas faces. Ergueu o braço, agarrado ao tênis de Katie.

— Cuide de si mesma. Cuide de tudo.

A ÚLTIMA COISA que Rose ouviu de Sam foram os enfraquecidos gritos do nome dela, enquanto ele desaparecia no céu, um acontecimento além de sua compreensão.

Se ele não a imaginara recusar-se a acompanhá-lo, ela jamais o imaginara partir assim.

Vira as lágrimas nos olhos dele e inclinara a cabeça perplexa. Pôde sentir-lhe a tristeza através da neve e do vento.

Em geral, tinha certeza de seu mundo, mas aconteceram coisas que não conseguia entender.

Quando o helicóptero afastou-se, a neve instalou-se e o estrondo tornou-se mais fraco, ela aventurou-se até a janela da frente para olhar assombrada. O barulho da máquina mudou quando se pôs a distanciar-se da fazenda, levando consigo a maior parte do mundo de Rose.

Ela olhou em volta. Assim que o helicóptero sumiu ao longe, o lugar mais uma vez se imobilizou. Às vezes, quando Sam partia na caminhonete, a fazenda sossegava assim, como se parte da alma dele tivesse voado. Mas aquele silêncio não parecia conhecido nem rotineiro. Ele desaparecera, devorado pelo céu e pela tempestade.

Agora, só se ouviam o ruído do vento, a neve a cair nos telhados rangentes; agora ela conhecia um vazio, uma quietude, que nunca sentira antes. Subjugada, deitou-se, como se atingida pela repentina sensação de estar sozinha. Ficou imóvel, com os olhos fechados, o nariz abaixado, e tentava ter um senso de orientação.

Pensou brevemente que Katie talvez estivesse no andar de cima, mas nada ouviu nem farejou.

Ergueu a cabeça.

O impulso de trabalho agitou-a.

Rose voltou para a cozinha, devorou uma porção de comida, tragou com vontade um pouco de água e tornou a sentar-se atenta. Só ouvia silêncio. A floresta e a mata pareciam imóveis, e mesmo dentro da casa sentiu frio quando o vento começou mais uma vez a uivar e a neve a cair mais pesada.

Sam se fora. Não estava lá para ela se preocupar com ele, segui-lo, localizá-lo. Nem para apoiar, dirigir, comandar. Embora não conhecesse solidão, sentiu-se sozinha de uma forma como jamais experimentara.

Desafiá-lo fora uma experiência nova, estranha, e de algum modo assustadora. Jamais o fizera antes; ia contra sua natureza, instintos, tudo que ela sabia e aprendera. Ficara tão surpresa quanto Sam. Mudou tudo, no entanto era claro e simples à sua própria maneira.

Não podia abandonar a fazenda, nem abandonar as ovelhas e as vacas. E Katie.

Seu mapa, os sentidos, a mente, tudo isso constituía uma confusão. As histórias que tinha na cabeça não eram de ficar sozinha. Nem da incoerente experiência de não ter nenhuma direção, nenhum contexto, ninguém mais. Tampouco tinha imagens para isso.

Rose parou, olhou para a porta da frente e, em seguida, subiu a escada e entrou no quarto onde Katie e Sam dormiam. Dirigiu-se até o outro tênis, debaixo da cama, onde sempre ficava. Pegou-o e trouxe-o para o térreo. Perambulou com o sapato um pouco, depois o largou no chão da cozinha e farejou-o.

Com cuidado e deliberação, lambeu a parte da frente, continuou em volta da lateral, absorvendo os cheiros fortes que a umidade ressuscitava no sapato. Quando chegou aos cordões, mastigou dois ou três fios e, em seguida, puxou um para fora.

A casa estava silenciosa, a não ser pelos ruídos da neve que golpeava as janelas, após deslizar do telhado, o chiado e o movimento das velhas vigas sob a pressão da neve e o vento. Rose mastigou devagar e com deliberação.

Depois de terminar, fisgou o sapato e levou-o para a sala de estar, onde o escondeu debaixo do banco para pés perto do antigo sofá preto.

O CÉU ESCURECIA e a neve tornava-se mais espessa quando ela refez o caminho de volta ao celeiro. Virou-se para olhar o firmamento, na esperança de captar um vislumbre de Sam, algum sentido de aonde ele fora, se poderia estar voltando de novo, mas nada surgiu.

Dentro do celeiro, o cachorro selvagem aproximou-se, ainda capengando, para saudá-la. As gatas de novo insolentes circulavam furtivas, as cabras gritavam por ela, as galinhas ciscavam à cata de moscas, migalhas, sobras de feno e grãos.

Rose avançou com dificuldade pela neve na abertura da porta lateral do celeiro, escavava e imergia ao seguir mais uma vez colina acima até o celeiro sobre estacas. Duas ou três vezes quase foi impedida de continuar pelo vento e pela neve que lhe golpeavam o rosto com renovada fúria.

Ansiosas e de pé, as ovelhas moviam-se famintas, nervosas, à beira de entrar em pânico. Estavam tão assustadas que poucas pareceram até mesmo notar a presença dela, ou levantar a cabeça, ou recuar, como sempre faziam quando seus olhos enfrentavam os dos animais.

Rose sabia as consequências se não mantivesse o rebanho calmo. Uma ou duas, em seguida outras, iriam entrar em pânico, se dispersar e precipitar frio afora para morrer e congelar, ou para dentro das mandíbulas abertas dos coiotes. A única segurança e calor deles era que permanecessem juntos onde estavam.

Agora, dentro do relativo abrigo daquele celeiro, ela deitou-se.

Ali, mais que nunca, precisava concentrar-se, recompor-se, mas as imagens na mente chegavam e saíam demasiado rápidas. Era uma hora desnorteante. Tanto a fazer. Tão pouco ela *podia* fazer.

OUVIU O CACHORRO selvagem latir com urgência do celeiro, ouviu um zurro frenético. Olhou o celeiro embaixo e viu-o latindo, e Carol, deitada de lado, gritava de pânico, na luta para se levantar, incapaz de ficar em pé na neve e no gelo.

Rose precipitou-se colina abaixo.

Carol agora se deitava imóvel, desorientada. Rose deslocou-se para perto e escutou-lhe o coração.

Ficou claro que a mula começava a entrar em choque, algo que a cachorra vira ovelhas e vacas fazer quando ficavam apavoradas ou presas, antes de deslizarem para uma espécie de estado semiconsciente, paralisado. Em geral, a morte logo se seguia, e Rose viu, mesmo a poucos metros de distância, que Carol deixava de funcionar.

Notou pelas pegadas que a mula subira ao topo da colina, após sair do celeiro, e em seguida escorregara encosta abaixo, quando ficara entalada entre um monte de neve e a parede externa do celeiro. Achava-se quase de cabeça para baixo, uma posição horripilante e impotente para qualquer animal, e Rose viu medo e confusão.

O cachorro selvagem estava parado acima dela. Rose percebeu que essa situação não fazia parte da experiência dele. Tampouco da sua. Mas lhe pedira ajuda, trouxera-a correndo.

Olhou para o cão. Olhou para o celeiro. Olhou para a casa atrás. Apelou para a sua memória. Mas não tinha a menor ideia, de fato, do que fazer, nenhum treinamento ao qual recorrer. Hesitou, atenta aos frenéticos zurros de

Carol, às pancadas dos cascos no celeiro, aos tornozelos e pernas cobertos de sangue. Rose teve de acalmá-la.

Agachou-se e escorregou barranco abaixo, trotando ao redor da cabeça da mula, a qual se alternava em silêncio e agitação das patas, ao tentar frenética encontrar um ponto de apoio para levantar-se. Grossos acúmulos de neve caíam em cima dela do telhado ou ao deslizarem colina abaixo.

Rose latiu uma vez, para chamar-lhe a atenção.

Embora assustada, Carol virou a cabeça para olhá-la nos olhos. A cachorra viu coisas naqueles olhos que jamais captara antes, os sonhos, a memória, a exaustão e a dor nas velhas pernas da outra. Viu coisas que só os animais veem uns nos demais. Eram diferentes, essas duas, contudo algumas coisas as uniam, e certa ligação se formava agora, enquanto retribuíam o olhar uma à outra.

A mula era uma menina idosa, sofrera muito, vira demais, e, ao encará-la nos olhos, Rose sentia parte da vida de Carol precipitar-se entre as duas. Via tristeza, mas também aceitação. Rose se aproximou. Estava tentando acalmar Carol com seu olhar, e dentro de um minuto ou menos Carol parou de se debater. Rose continuava a observá-la intensamente, como se sua própria vida dependesse disso, como se fosse o reconforto que precisava para firmar-se e chegar aonde tinha de ir. Ela ainda não tinha a menor ideia de como a ajudar a levantar-se, imprensada como estava entre a neve firmemente compacta e a parede lisa do celeiro. Não podia socorrê-la como a mula a ajudara. Carol também parecia saber disso.

Até aquele momento, as duas haviam sempre se mostrado visceralmente cautelosas uma com a outra, duas criaturas muito diferentes, apesar da existência de uma sensação de estar na família da fazenda, aos cuidados de Sam. Mas, apenas poucas horas antes, elas tinham cruzado uma linha juntas, e Carol sabia que sua vida agora se achava sob o cuidado de Rose.

Entre os mais aguçados instintos da cachorra, existia uma profunda compreensão do que ela podia e não podia fazer, entretanto não encontrava sequer uma experiência à qual recorrer nessa situação, nenhuma aptidão para usar, nem batalha a lutar.

Rose baixou a cabeça e escutou. Conseguiu ouvir que o coração da outra batia devagar e logo pararia. Conhecia muito bem esse batimento. Sabia quando uma ovelha aproximava-se da morte, em geral bem antes de o animal sequer o perceber.

O coração de Carol batia muito fraco, difícil até mesmo para que ela o ouvisse acima do vento.

O frio enfraqueceu-a. A tempestade esgotava-lhe o corpo velho e cansado. Rose viu-o pelo que era: simplesmente o modo pelo qual constituíam as coisas. Ela não tinha nenhuma estratégia para combatê-lo.

Ao encontrar o olhar da mula, viu-lhe o espírito se esvaindo, elevar-se para o céu nevoso — uma faixa azul, um vapor, um impulso de luz e energia.

Carol bufou e zurrou baixinho. Rose, com os olhos semicerrados contra a neve e o vento, curvou-se à frente para fungar de leve na testa da agonizante. Esta inclinou a cabeça de lado, um olho coberto pela neve, apenas o outro livre, para fitá-la, encontrar-lhe os olhos.

A cachorra formava sua própria ideia de separação, de despedida. Tinha apenas uma sensação do que isso significava. A mula sempre desprendera um sentimento de solidão, e Rose farejou nela muita dor.

Ficou claro que Carol se despedia dela, a única criatura na fazenda com a qual escolhera comunicar-se. Via, nas cores e reflexos dos olhos da mula, onde se armazenavam e passavam as imagens, as da vida da outra, de forma muito semelhante à que recordara da sua, a mãe, os irmãos e as irmãs, brincando num pasto, comendo num campo. Viu Carol e duas das irmãs atravessar o mais veloz possível um campo aberto, enquanto davam coices com as pernas traseiras e zurravam de alegria.

Via o sofrimento que chegou posteriormente, a perda de trabalho, a solidão, a fome e o abandono, quando comia casca de árvores e ervas daninhas, tomava água rançosa da chuva, do orvalho no mato, ficava no descampado, exposta à chuva, tempestades, frio e calor.

Via as surras, a fome, os ataques de cachorros, sentiu e farejou a dor, os carrapatos, moscas, feridas, os doloridos cascos e articulações, e em seguida a mudança: a segurança da fazenda de Sam, mais uma vez abrigo e grãos, paz e tranquilidade.

Notava o desinteresse de Carol pelas vacas, seu amor pelas ovelhas, o medo que sentia da própria Rose, a qual era, para ela, apenas um tipo de coiote diferente, uma predadora por legítimo direito, mais um carnívoro contra o qual se precaver.

Rose vira que deixavam Carol quase sempre sozinha, não lhe davam nenhum trabalho, e naquela época ela encontrou seus dias mais relaxados e tranquilos. Tudo isso se refletia luminoso nos olhos da mula, e a cachorra via-o nitidamente, entendia-o bem.

Tratava-se de reflexos do adeus, da despedida específica, dela.

E então, como Rose sabia que ia acontecer, o corpo de Carol ficou sem vida, os olhos vazios, agora que o espírito partira. O que restou foi cheiro e carne, nenhum dos quais teve qualquer significado para Rose.

O cachorro selvagem observava silencioso.

Rose olhou-o e depois farejou o corpo da mula uma última vez. Fez o mesmo. A neve já se formava na cabeça do animal e por todo o corpo, o qual parara de ofegar.

O mapa da cachorra mais uma vez mudou.

Algo dentro de si a agitou, impelindo-a adiante. Embora fosse tolerante, até passiva, em relação à morte natural, sentia-se bastante diferente a respeito da vida que agora a chamava de todos os lugares em volta para fazer seu trabalho.

ROSE VIROU-SE e olhou em direção às ovelhas acima, e em seguida subiu exausta de volta ao celeiro sobre estacas. Embora cansada, parte dela também se sentia renovada. Mudava de uma coisa para outra, ganhando certeza.

As ovelhas continuavam agrupadas no fundo do celeiro, protegidas do vento e da neve pesada perto da construção trilátera e da projeção do telhado. Pressentiu que os coiotes estavam no topo da colina, à espera. Não sabia onde se encontravam as raposas. Nada ouvia da floresta nem da mata. As gamelas de água no interior congelaram.

Percebeu, muito de repente, que seu mapa não incluíra a maioria das vacas e bois. Os instintos levaram-na a sair daquele celeiro ao pasto na parte de trás, ao qual só podia chegar após atravessar o grande celeiro e sair pela parte lateral.

Parou ali. Viu que algumas das vacas mais uma vez se esforçavam para viver, quase congeladas sem se movimentar. Os depósitos altos de neve e gelo as haviam aprisionado, a falta de comida, as enfraquecido, e o frio brutal e os ventos ferozes, lhes retirado o calor interno.

Apenas Brownie e um punhado de vacas, aconchegados perto da porta dos fundos, continuavam a mover-se, exalando pelo nariz o vapor da respiração. Brownie deslocava-se de um lado para o outro, seu imenso corpo era uma barreira de vento para as vacas, que se apoiavam umas nas outras, pacientes, à espera do feno que vinha das portas do celeiro.

Jamais se permitira a entrada dos bovinos no celeiro, não era grande o bastante para os animais e, por isso, Sam construíra-lhes um refúgio de sol e chuva longe de lá, proteção suficiente contra tudo, menos uma tempestade como aquela. O telhado do abrigo desabara sob o peso da neve, e os montes de neve empilharam-se tão altos ao redor que as vacas e os bois não podiam sequer usar as paredes restantes como proteção contra o vento.

Quando Brownie olhou para Rose e bramiu, pareceu um nítido pedido de ajuda. Ela encarou-o nos olhos, sentia-se tão desolada quanto a fazenda parecia.

Passou pela bomba e pela torneira que Sam girava duas vezes para levar água ao celeiro. Examinou-o por alguns segundos. Muitas vezes, tinha a atenção distraída pelo ruído de um motor batendo no celeiro. Ele chamava-o de gerador, que era mantido para emergências, uma pequena máquina movida a propano que fornecia calor e luz ao compartimento de ferramentas no canto do celeiro e a um dos removedores de gelo que agora se achava preso numa tina de água congelada. Às vezes, durante tempestades, quando a casa fiava escura, o gerador era acionado e emergia água da bomba. Em sua mente, Rose fazia uma ligação entre essa máquina e a água, mas não conseguia ir além.

Apenas não entendia, não sabia como fazer a água chegar. Não encontrava imagens na cabeça, nada em sua experiência ou memória, a que recorrer. Pela primeira vez, sentia algo semelhante a frustração. Compreendia que, embora houvesse água em algum lugar, ela não tinha meio de fazer funcionar a máquina, conseguir que fizesse o que precisava. Parou, encarou de novo o gerador e, em seguida, a bomba.

Observou-a um instante, depois a farejou, não sentiu cheiro de nada útil. Tocou-a com o focinho, mas recuou do metal gelado. Não lhe ocorreu nenhuma imagem.

Chegara a um limite, a um lugar além de sua experiência. Por não saber o que fazer, abandonou a bomba. Sabia que os animais estavam sedentos, mas podiam passar algum tempo sem água. Podiam comer neve, contudo esta lhes esgotava o precioso calor do corpo. Eram o frio e a fome o que ela mais temia.

Contornou às pressas o fundo do celeiro e entrou. Concentrava-se agora nas vacas, a mente desligada de Sam, não mais intrigada sobre aonde ele fora.

Entrou rápido no celeiro e saltou em direção à parte de trás do velho prédio. Vários montes de feno empilhavam-se no segundo andar e em buracos abertos na parede de trás, protegida do vento e da tempestade.

Ao lembrar-se de como se moviam as gatas ali, saltou num dos fardos, em seguida em outro, antes de impelir-se acima para a plataforma de abastecimento no piso superior do celeiro. Não era um grande salto para ela.

Abocanhou um bocado de feno e retirou-o de um fardo, em seguida correu até uma das brechas na parede e despejou-o ali no piso de madeira. Em seguida, empurrou-o com o focinho pelos buracos. Não passava de uma pequena moita, mas Rose ouviu as vacas no lado de fora começar a movimentar-se e mexer-se, ouviu todas se encaminharem para o feno impelido ao chão. Tornou a correr para buscar outro bocado, puxou-o do fardo, arrastou-o até a abertura e despejou-o. Fez isso repetidas vezes. Não tinha a menor noção de quantas vezes correra de um lado para o outro, no entanto foi até quase não restar mais feno na plataforma, e, quando olhou para fora, viu todos os bovinos se moverem em círculos, chocando-se uns nos outros, enquanto comiam o feno tranquilos. Havia agora uma considerável quantidade que cobria uma larga área de neve. Ao se mover e comer, os animais pareciam ter ressuscitado, recuperado força, ganhado tempo.

Na mente de Rose, as imagens não paravam de vir à memória.

Tinha de juntar as vacas e o feno. E tinha de trazer as ovelhas para o celeiro também.

Saltou da plataforma, caiu com um baque no meio do espaço escuro no centro do celeiro e fez o espaço silencioso irromper. As galinhas chiaram, Winston empavonou-se e se pôs a cantar; as gatas fundiram-se no espaço superior, onde se empilhavam fardos verde-escuros.

Rose tocou o focinho do cachorro selvagem para chamá-lo ao trabalho. Ele viu de imediato que tinha algo diferente nela e se esforçou para levantar-se. Os dois foram para o fundo do celeiro até a antiga porta de deslizar que pendia intermitente das dobradiças, deixando uma pequena abertura no vão.

A porta tinha mais de cem anos e, como a maioria dos fazendeiros, Sam não consertava coisas que não tivesse absoluta necessidade de consertar. De fato, jamais se usava a porta, em consequência não importava quanto pendia frouxa. Sam brincava que um vento dos bons podia transformá-la numa vela e talvez todo o celeiro decolasse pela estrada, visto que era tão velha e caía aos pedaços.

Devido a ficar no lado voltado para o oeste, um pouco menos de neve se havia acumulado atrás, mas ainda assim o bastante para oferecer resistência a uma ovelha transpô-la. O vento soprava furioso nos fundos e também havia o gelo, parte do qual criara crostas onde os canos haviam estourado e disparado água pela parte de trás do prédio.

Rose começou a mastigar a tábua mais externa, já apodrecida e mole. Um grande pedaço da madeira soltou-se em sua boca. Ela enfiou a cabeça pelo buraco e viu Brownie no outro lado.

Tinha atrás de si um fardo de feno, o qual queria que o touro farejasse. Ao lado do cachorro selvagem, ela mastigou outra parte da tábua e, passados alguns minutos, abriu-se um buraco de uns cinquenta centímetros na porta deslizante. Embora o espaço continuasse pequeno demais para caber um bovino, Rose latiu e Brownie enfiou o focinho como ela esperava que o fizesse.

Vira vacas se esgueirarem por portas abertas quando estavam famintas e sabiam que tinha feno dentro. Eram criaturas furiosas e, quando se tratava de comida, revelavam-se astutas e rápidas.

Mas nem a cachorra previra o estrépito e a pancada quando a cabeçorra do touro atravessou explodindo o buraco e arrancou três ou quatro tábuas com ela. Brownie tinha apenas poucos metros para recuar, contudo bastavam. Quando ele arremeteu contra a porta do celeiro, atraído pelo cheiro de feno no outro lado, sua constituição física de mais de uma tonelada arrombou-a. A porta partiu-se ao meio, e metade caiu para trás dentro do celeiro, fazendo Winston e as galinhas fugir. Brownie a transpôs espremido, e as quatro vacas sobreviventes entraram vagarosas atrás dele, cada uma rasgando faminta os três fardos de feno.

Agora a mente de Rose voltou-se para as ovelhas. Tinha de trazê-las também até o feno. Várias estavam grávidas, e ela sabia que não sobreviveriam sem comida.

Conduziu o cachorro selvagem pela longa e difícil jornada até o celeiro sobre estacas e, assim que entraram, os dois trotaram atrás das ovelhas. Ela examinou-lhes as posturas enfraquecidas, confusas, e os olhos cansados. Os animais tinham de descer a colina. Precisavam ficar juntos do feno.

Rose lançou-se com ímpeto aos fundos do celeiro, atrás das ovelhas, as quais então avançaram assustadas. Atacou a ovelha diante de si, mordeu-lhe as nádegas, a parte traseira, o rabo, e com os dentes arrancou-lhe lã da pernas.

Elas não tinham lugar algum aonde ir. Achavam-se engolfadas, encurraladas, por montes de neve e dois cachorros que as imprensavam da retaguarda. Entraram em pânico. Correram de um lado para o outro, na tentativa de livrar-se dos cachorros loucos, e então, por fim, fugiram da única forma possível, direto para a parede de neve que se empilhara na frente do celeiro.

Os dois cachorros da fazenda, sem sinais ou comunicações visíveis, puseram mãos à obra. As ovelhas deslocavam-se colina abaixo, com o peso dos próprios corpos impelindo-as através dos montes de neve. Rose movia-se em círculos e, quando necessário, atacava, mordia e empurrava. Ambos os cachorros exerceram intensa pressão no rebanho, e os animais lançaram-se pelos depósitos de neve em direção aos fundos do grande celeiro.

Uma ovelha, prestes a entrar em trabalho de parto, e fraca demais de frio e fome, não se mexeu. Rose optou por deixá-la para trás. Outra saltou no monte de neve e torceu a perna; a cachorra ouviu-a estalar e quebrar-se. A ovelha caiu para trás e tombou no terreno, lutando para levantar-se, e em seguida desabou de lado em estado de choque. Se Sam estivesse lá, teria pegado a espingarda e a sacrificado para livrá-la da dor. Mas, naquele frio e vento, ela não sofreria por muito tempo.

Rose olhou uma vez a ovelha idosa e a ferida atrás, e então avançou com dificuldade para juntar-se ao restante do rebanho.

As ovelhas formavam uma cavidade natural, seu peso e ímpeto criando arado vivo, um sulco através dos depósitos de neve. Com esta voando, elas se impeliam colina abaixo. A pastora levara muitas vezes antes o rebanho para baixo em tempo ruim, mas nunca por neve tão alta, vento tão forte, nem temperaturas tão baixas assim.

Os dois cachorros trabalharam incansáveis. Foi necessário quase uma hora para o rebanho percorrer aquelas poucas centenas de metros. A certa altura, os animais sentiram, afinal, o cheiro de feno e deslocaram-se independentes, sem encorajamento.

Por fim, cachorros e ovelhas, quase igualmente exaustos, irromperam celeiro adentro.

Mas nisso Rose cometera um erro, um de seus poucos. Brownie e as vacas, já ali dentro, devoravam o feno. Quando o rebanho ovino precipitou-se em direção à forragem, o gado assustou-se.

Era uma área pequena, e quando Brownie se pôs em ação para proteger suas vacas, atacando e chutando duas ovelhas, atirou-as contra a lateral do celeiro.

O rebanho ovino, num frenesi, precipitou-se adiante mesmo assim, arrombou várias baias e danificou as prateleiras dentro do celeiro. Isso foi demais para as vacas, as quais recuaram quando as ovelhas começaram a rasgar os poucos fardos de feno que ainda se estendiam no chão.

Rose, incomodada com qualquer tipo de distúrbio ou confusão, entrou em seguida no celeiro, mas as ovelhas famintas e as mães privadas de alimento ficaram além do controle. Ela e o cachorro selvagem recuaram. Uma ovelha começou a andar em círculos, prestes a entrar em trabalho de parto no piso do celeiro, e nervosamente de um lado para outro, enquanto os outros animais do rebanho comiam.

Minutos depois, o feno desapareceu. Brownie e as vacas haviam consumido, sozinhos, dois fardos, e agora estavam ao relento nos fundos, já polvilhados de neve. Metade das ovelhas, dentro do celeiro, metade fora.

Não havia mais feno, a não ser na parte superior do palheiro, e nenhum caminho para chegar lá.

O mapa de Rose ficou em frangalhos.

Algumas das ovelhas, exaustas, haviam se deitado. Algumas se moviam confusas na neve, fora do celeiro, ainda protegidas por suas espessas peles. Uma morrera, esmagada pelas vacas. Uma segunda entrara em trabalho de parto e se esforçava em excesso. A cachorra ouvia-lhe o batimento cardíaco, dela e do cordeiro. Acrescentou o bebê ao mapa, retirou a ovelha morta pela vaca.

As vacas permaneciam próximas ao fundo do celeiro com Brownie.

Rose olhou então para o cachorro selvagem, que cambaleara até uma pilha de palha, desabara e adormecera num canto do celeiro, e tentou recuperar seu senso de orientação.

Tinha Sam na mente. Mas sua compreensão dele e do papel na vida dela pareciam confusos. Ele partira, no entanto ainda havia demasiado trabalho a fazer.

ABAIXO DA COLINA, por meio de seu refinado sentido de faro, chegava notícia nova, coiotes. Estavam próximos e famintos. Nessa noite, viriam atrás de ovelhas, em busca de cordeiros. Viriam atrás dela.

ROSE TORNOU A ERGUER os olhos colina acima, para a ovelha em trabalho de parto que permanecera atrás. Não se esquecera, e virou-se para recomeçar a jornada de volta, deixando o cachorro selvagem no celeiro.

A ovelha continuou a lutar para parir, andando em círculos no vento, na neve, e em seguida se deitou quase num colapso, esgotada de frio e fome. Rose farejou-lhe o medo e ouviu a luta na barriga.

A movimentação da ovelha cavara um buraco na neve.

A cachorra não conseguia ouvir o batimento cardíaco do filhote dentro dela, embora lhe ouvisse o coração. Prestava atenção aos gritos da mãe, um ruído que ouvira poucas noites antes, quando acordara Sam.

Deslocava-se em círculos ao redor da ovelha, lançava-lhe o olhar, na tentativa instintiva de fazê-la levantar-se. Era isso o que Sam sempre lhe pedia para fazer durante partos. Levante-se, levante-se.

Pensou em Sam, na valise dele e no modo como enfiava a mão dentro das ovelhas e tirava filhotes.

A ovelha não se levantava.

Rose parou. Circular em volta do animal era inútil.

Assim como latir ou mordiscar. Os instintos nada lhe sugeriam que pudesse fazer; tampouco a memória. A parte interna da ovelha, o processo de parir filhotes, ultrapassava a sua compreensão.

Ela retornou à casa da fazenda para prestar atenção à presença de Sam. Não estava lá. Não estava no celeiro. Nem em qualquer um dos pastos. Não estava na caminhonete. Sentia-se responsável por ele, mais do que pelas ovelhas. Não conseguia compreender aonde ele fora, nem parar de procurá-lo.

A ovelha, em dor e grande exaustão, debatia-se na neve e vento com toda sua energia para fazer o filhote sair, gritava para as outras ovelhas em busca de alívio. Olhou para Rose e gemeu, os gritos enfraqueciam.

Rose ganiu baixinho repetidas vezes. Então se calou. Parecia como se ela e essa mãe estivessem sozinhas num mar de branco e frio em movimento.

Nada mais existia além delas.

E a tempestade.

Depois de algum tempo, com a vida se esvaindo dela, a ovelha suspirou. Rose estava ao seu lado, com os olhos abertos.

Prestou atenção com as orelhas inclinadas. Sobressaltou-se.

Ouviu o coração da ovelha ficar mais forte, bater mais rápido. Abaixou a cabeça, agora também ouvia o coração do filhote bater baixinho, porém constante. Em toda a volta de si, ressoavam o temeroso ruído do vento e o pesado silvo da neve ao atingir o chão. Esses barulhos privavam-lhe de coragem, enquanto os corações batendo a paralisavam. Em sua mente, via imagens poderosamente conflitantes de vazio e vida.

Rose latiu, em seguida mordiscou as pernas da ovelha, observando-a levantar-se corajosa, devagar e com deliberação, grunhir e fazer força, e um instante depois um filhote fêmea recém-nascido reluzente, molhado, deslizava de dentro dela e caía sobre a neve, arrastando a placenta num fluxo líquido, vermelho.

A ovelha, com a neve a rodopiar em toda a sua volta, virou-se para tocar com o focinho o bebê, que lutou para levantar-se e se pôs a balir, já à procura das tetas da mãe sob o pelo de lã incrustado de gelo. Rose soube que tinha de fazê-las chegar rápido ao abrigo, do contrário elas congelariam no frio e na neve. Esse era um trabalho que conhecia bem.

Exausta e quase congelada, começou a latir, antes de recuar e se colocar entre o celeiro sobre estacas e a ovelha. A mãe, confusa pela repentina mudança de comportamento da cachorra, pôs-se a tocar com o focinho o filhote colina abaixo em direção ao grande celeiro, impelindo a recém-nascida pela trilha havia pouco arada que o restante das ovelhas abrira minutos antes. Juntas, desapareceram na neve e no vento.

Era uma longa jornada abaixo no frio brutal, e Rose não podia ajudá-las. Filhotes não eram arrebanhados e, se ela chegasse perto, ambas poderiam entrar em pânico, separar-se e desaparecer na neve. A cachorra não tinha a menor percepção de se as duas conseguiriam chegar.

Só o que podia fazer era ficar atrás da mãe, manter pressão para que se movesse e a ovelhazinha a seguisse. Mas elas se recusavam a deslocar-se em linha reta, assustadas pelo vento, confundidas pelos bancos de neve. Rose tinha de seguir em frente.

Desceu sozinha a colina e entrou no celeiro. Sacudiu-se para desprender a neve, examinou as galinhas, que cacarejavam baixinho nos poleiros, deitou-se ao lado do cachorro selvagem e fechou os olhos. A vida das ovelhas nunca era previsível, nem para uma cachorra de pastoreio. Sentia-se cansada, mais esgotada do que jamais ficara.

Ouviu a respiração irregular do cachorro selvagem, as gatas do celeiro se moverem bem alto nas vigas, as vacas mugirem baixo no pasto de trás. Entrou num estado onírico, em algum lugar entre sono e vigília.

Pouco depois, um som despertou-a. Vinha de fora do celeiro, da abertura do portão. Ela sentou-se e rosnou. O cachorro selvagem também ergueu a cabeçorra e expôs os dentes.

Em seguida, ouviu uma voz chamá-la, fraca a princípio, no entanto mais clara e conhecida, porém emudecida pelo vento:

— Rose, Rose, onde está você, menina?

Era Sam. Ele retornara.

Rose ficou fora de si com a emoção.

Levantou-se de um salto, abanando o rabo, e quase foi de encontro a Sam, o braço ainda todo coberto, segurando uma valise marrom no outro bom.

Encaminhava-se para o celeiro, longe da neve e do nevoeiro. Ela tocou-lhe o joelho com o focinho, em seguida latiu furiosa, correndo ao lado do celeiro em direção ao sobre estacas, ao lugar onde a ovelha chocada se levantara e parira, chamando a atenção dele para o animal.

Viu quando Sam abriu o portão e subiu com dificuldade a colina, largou a valise e enfiou a mão na ovelha para puxar o restante da placenta, antes de curvar-se sobre o filhote reluzente e limpá-la com seu pano. Segurou a recém-nascida no colo, e, com Rose pressionando a ovelha por detrás, mãe e filha chegaram ao abrigo do grande celeiro.

De repente, ouviu Winston cacarejar, a neve caía de um telhado e golpeava em rajadas gélidas através das paredes do celeiro.

Rose abriu os olhos.

Viu-se no celeiro, desorientada. Sacudiu a cabeça para expulsar a confusão e, em seguida, encaminhou-se para a porta, de onde olhou a tempestade lá fora.

Sam não estava lá. Não perto do celeiro, nem no alto da colina. Ela examinou, farejou e prestou atenção nele.

Depois se virou e abriu caminho pela neve de volta à colina acima, em direção ao celeiro sobre estacas. Não conseguiu ver a ovelha nem a filha recém-nascida.

12

PELA PRIMEIRA VEZ EM DIAS, ROSE NÃO TINHA TRABALHO A FAZER. Ou, melhor, ela exaurira as coisas que sabia fazer. Não podia abrir portas, girar torneiras, arrastar fardos de feno, repelir a tempestade. Entendia que se tratava de uma situação temporária, uma trégua.

Por hábito, examinou e prestou atenção à procura de Sam, quase em descrença, diante da ideia de que ele não estava lá, não retornara, que subira inexplicavelmente dentro do céu e desaparecera. Às vezes, ocorria-lhe uma imagem de si tentando deter o grande pássaro verde, mas Sam não parecera amedrontado, nem lhe pedira que o ajudasse.

Agora que Brownie e as vacas restantes haviam conseguido um pouco de comida, continuavam com frio e enfraquecidos, mas vivos. Embora várias das ovelhas estivessem exaustas, elas, também, haviam comido um pouco, e o rebanho restante refazia o caminho de volta à intimidade do celeiro sobre estacas. Este as deixava mais expostas, pelo menos aos predadores que se agrupavam no topo da colina, contudo era um lar para os animais. Jamais viveram no grande celeiro, e não tinham os próprios cantos, padrões e cheiros. No sobre estacas, também tinham espaço.

Como a maioria dos animais, as ovelhas faziam o que era conhecido. Nem Rose nem o cachorro selvagem tinham energia para tentar mantê-las todas juntas no celeiro embaixo, o qual consistia numa confusão escura, fria, de neve, gelo, feno molhado, além de vigas e canos quebrados.

O cachorro selvagem, cada vez mais fraco devido ao frio e à falta de comida, continuava deitado num canto. Rose pensou em levá-lo até a casa da fazenda para comer, mas não sabia se ele tinha força para a jornada.

Ela se aproximou e viu como estava fraco, a respiração pouco profunda, e tomou uma decisão. Percebeu que ele precisava chegar à casa ou morreria bem ali onde se deitava. Pôde ver uma imagem na mente, sentir o calor esvair-lhe do corpo, ouvir-lhe a respiração diminuir, os pulmões se encherem de líquido.

Melhor morrer em movimento do que enroscado num canto do celeiro.

Rose curvou-se, tocou-lhe o focinho, ele abriu os olhos, olhou dentro dos dela; em seguida, esforçou-se, devagar e dolorosamente, para levantar-se.

Embora ele não soubesse aonde estavam indo, ela agora era sua fazenda, o bom-senso, a líder. A única coisa que restara que fazia sentido ou lhe oferecia alguma promessa. Conduziu-o a uma abertura na porta e começou a impelir-se através dos montes de neve. Para o velho animal, era uma caminhada quase insuportável, que lhe submetia à prova os membros e as juntas doloridas, a energia e a força debilitadas.

Rose formara algo semelhante a um caminho em suas viagens anteriores à casa da fazenda, mas era um trajeto difícil e árduo para um cachorro velho, já exausto do trabalho com as vacas no celeiro. As costelas projetavam-se do corpo, e as gengivas exibiam uma cor amarela-clara. Ele exalava um cheiro de doença.

Ela reduziu o ritmo. Um passo de cada vez, em seguida outro, então pausa, olhada para trás, depois outro passo, pausa. O primeiro depósito de neve era o mais alto e mais difícil, e no restante do trajeto abaixou a cabeça e impeliu-se num caminho pela neve com o peito e os ombros. Viu que ele se deslocava apenas por determinação.

Levou um longo e frio tempo, mas os dois, afinal, chegaram, ofegantes, à porta dos fundos. Rose abriu-a com o focinho e deixou o companheiro entrar primeiro.

Ele parou e olhou a imensa pilha de fragmentos de comida canina que Sam deixara, em seguida desviou o olhar para ela, e, quando esta não se opôs, capengou até ali e começou a comer. Ingeriu quatro ou cinco bocados, o que foi quase demais para seu estômago. Encaminhou-se para a vasilha de água e tomou-a ávido, antes de Rose levá-lo para a sala de estar, onde o velho animal dirigiu-se cauteloso à cama de cachorro no piso e quase desabou nela.

Rose o seguiu e farejou, e seu batimento cardíaco já estava mais forte. Ali, decidiu, era onde ele precisava ficar. Não sabia se ia ou não sobreviver dentro de casa, mas sabia de fato que não teria uma chance no lado de fora, naquele frio e tempestade. Ouviu-lhe o coração, observou-lhe o estômago subir e descer. Despediu-se dele, por via das dúvidas de não tornar a vê-lo vivo de novo.

A compreensão da morte que Rose tinha fora simples por quase toda a sua vida. Animais morriam o tempo todo, na mata ou na fazenda. Ela apenas os retirava do mapa. Quando Katie adoeceu, conseguia farejar-lhe a doença, no suor, na pele. Via que o corpo de Katie agonizava; vira isso antes. Era aquela repentina ausência que a confundia, a perda de sua presença física.

Jamais a vira partir, e era por isso que a procurava de forma tão inexorável. Não queria que o mesmo acontecesse com o cachorro selvagem.

Os dois haviam se identificado, quase visceralmente, e ela sabia agora o que era perder alguém ou alguma coisa com a qual se relacionava. Ainda assim, a separação e a morte constituíam dados em seu mundo. Não temia a própria morte, nem imaginava que morreria. Imaginava agora que iria ao lugar das luzes azuis e veria de novo a mãe. Talvez até visse o cachorro selvagem.

Se fosse a hora dele, não fazia parte do trabalho dela combatê-la nem a lamentar. Por isso se preparava, à sua própria maneira, absorvendo pelos sentidos os cheiros e as lembranças do que era conhecido. Jamais ouvira a casa da fazenda tão silenciosa, vira-a tão sombria, nem a sentira tão fria.

Tão solitária.

Encaminhou-se para a borda da sala de estar, procurou Sam na varanda, onde o vira pela última vez antes de ser içado céu adentro, e, em seguida, saiu à procura de Katie na sala de costura. Lembrava-se de sua vida na casa. Da caixa na cozinha, na qual dormia quando filhote. Do sofá em que se deitava, enquanto Katie e Sam viam TV. Dos ossos que traziam para ela, na cama de cachorro, de Katie e Sam atravessarem os quartos como fantasmas.

Lembrava-se de cada som que ouvira ali, TV, programas de entrevistas, conversas, preparo de comida, apito da chaleira de chá, a chegada de correspondência pela ranhura, o zumbido dos radiadores, os murmúrios dos aquecedores no porão, o ruído de luzes sendo acesas e apagadas, o fluxo de água pelos canos, as moscas ao depositarem ovos nos vidros da janela, a acomodação e o estalo de madeira, o gemido do telhado na neve, a umidade, as joaninhas, vespas e abelhas que construíam colmeias, ninhos, as formigas, cupins e besouros que viviam nas paredes e nos tetos, o esvoaçar das mariposas por toda a casa.

Para ela, a casa da fazenda era um enxame de barulho e emoção, pessoas e ruídos que às vezes a ensurdeciam, sempre fascinantes. Podia ficar deitada durante horas, no piso diante do fogão a lenha, aos pés de Sam ou de Katie, semiadormecida, atenta a toda a cacofonia ao seu redor.

Sempre circulava pela casa à noite, corria para dentro e para fora durante o dia. Às vezes, dormia no pé da cama de Sam, em outras no quarto de costura de Katie. Às vezes, saía furtiva em silêncio no meio da noite e ia até o celeiro para vigiar as circunstâncias.

Lembranças cheias de paz, serenas. Caminhou até a porta da frente, deitou-se, mais uma vez à procura de Sam, à espera de que ele descesse do céu, para dizer-lhe o que fazer, sair para o celeiro, trazer feno ao piso, ligar a água e salvar o rebanho.

Pressentiu os coiotes se agruparem na colina, famintos, até desesperados, vigilantes, observando a morte e a confusão abaixo. Ovelhas assustadas, vacas enfraquecidas, um exausto cachorro velho, a ausência de pessoas, Rose.

Via a fazenda como o coiote a teria visto. Presas em todo lugar, alimento. A sobrevivência de sua matilha toda reunida num lugar, e nada poderoso o bastante para detê-lo.

Preparavam um plano; sempre o faziam. Ao contrário de Rose, viviam em grande número, trabalhavam em comum acordo. Não induziam com mordidas. Esperavam até que a presa ficasse vulnerável, indefesa, e sobrepujavam com um grande grupo, velocidade, medo, matavam rápido e de forma brutal.

O coiote tinha de se dar bem ou seu covil enfrentaria a morte, o que ele não podia permitir, tanto quanto Rose não podia permitir a extinção dos animais da fazenda.

Movimentavam-se para a ação, ela conseguia senti-los. Via-os na mente, rondavam em círculos, escondiam-se, vigiavam, esperavam. O coiote àquela altura teria reunido o bando, e os membros se espalhado por todo o topo da colina, atrás dos depósitos de neve, nos arvoredos, atrás da cerca e das volumosas árvores.

ROSE SAIU DE FININHO pela porta. Não se adaptara à realidade da tempestade. Toda vez que retornava a ela, assustava-se com a lúgubre e frígida paisagem. Toda vez que retornava, era diferente, e ela precisava tornar a orientar-se.

Virou-se e voltou para o interior da casa, onde encontrou o cachorro selvagem no lugar em que o deixara. Deitou-se ao lado do companheiro exausto a respirar devagar, mas que ergueu a cabeça e desviou os olhos para os dela. Ele dava-lhe permissão para partir, pois ambos sabiam que Rose precisava.

O cachorro estava quase liquidado.

Rose permaneceu com ele por mais alguns minutos, ambos ouvindo o uivo do vento, a pancada da neve que vinha do telhado, o distante balido das ovelhas.

Nada havia a fazer agora. Os dois cachorros esperaram juntos. Ambos dormiram brevemente. Tiveram sonhos simples, tocar ovelhas, vacas, correr pela mata. Esses sonhos nutriam e tranquilizavam. Suscitavam a história de cachorros, de trabalho concluído, de sucessos.

Anoitecera então. A neve continuava a cair, o vento estava um pouco mais silencioso. A fazenda foi enterrada, estava intransitável.

O cão selvagem estava deitado de lado, lamentando-se um pouco em seus sonhos, seu estômago levantando-se lentamente. Rose olhou-o mais uma vez.

Tocou-lhe o focinho de novo. A princípio, esse cachorro não passava de outra criatura que corria na mata, outro perigo para a fazenda, uma criatura a ser monitorada, para a qual latir e inspecionar. Numa tarde, Rose examinara o pasto embaixo e vira o cachorro velho olhá-la lá em cima. Alguma coisa agitou-se dentro de si, como acontecia quando ela era um filhote com a mãe.

Ele, então, não tentava entrar na fazenda, nem estava agressivo ou desafiador. Apenas a encarava, e talvez tivesse sido naquele momento que ela soube. Ou talvez quando o conduziu pela primeira vez ao celeiro. Ou no momento em que ele tentou ficar ao seu lado quando Rose enfrentou os coiotes e ela o protegeu.

Ou apenas agora mesmo, enquanto ele se deitava tão sereno e resignado, próximo ao fim da vida. Era mais uma série de momentos do que apenas um.

Não sabia se ele a reconhecia como filha, mas ela soubera, em algum nível, desde o início, que o velho cachorro era seu pai.

13

ROSE DEIXOU-O DORMINDO NA COZINHA E DIRIGIU-SE devagar de volta à porta, para a tempestade. Fechou os olhos, abaixou a cabeça e lançou-se ao lado de fora, avançando vagarosa e deliberadamente para o celeiro.

Ouviu as cabras gritarem queixosas de dentro do curral. Nada podia fazer por elas, as quais deviam ter terminado de consumir o feno que Sam abarrotara em seus abrigos antes de ficar ferido. Viu Brownie através do nevoeiro e da neve, a respiração ainda a sair-lhe das narinas, duas vacas batendo as patas atrás dele.

No celeiro sobre estacas, exaustos, debilitados, à espera, encontravam-se as ovelhas e os carneiros. Conseguia ouvi-los e farejá-los, no entanto mal os via.

Mais neve caíra dos telhados e cercara-os em impassíveis depósitos e montes de gelo. O rebanho estava fraco e cansado demais para locomover-se, além de muito assustado. Rose ouviu cacarejar no celeiro, talvez Winston chamasse uma de suas galinhas que se desgarrara em direção à tempestade e desaparecera.

Ao erguer o olhar pela neve e pela cerração, a cachorra parou. Entreviu a fila de formas escuras mal visíveis diante dos depósitos de neve atrás delas. Eram coiotes, não mais preocupados em se esconder. Agrupavam-se.

E vigiavam-na. Não tinham máquinas, nem humanos, nem um segundo cachorro dos quais terem medo. Os coiotes entravam no campo visual e saíam dele, enquanto a intensidade da neve aumentava e diminuía, e isso os deixava com uma aparência ainda mais fantasmagórica. Parecia a Rose que se punham em movimento, embora estivessem sentados imóveis, à espera e vigilantes.

Tinha a mente silenciosa, as imagens cinzentas, quase moribundas. Nunca se sentira tão cansada, tão fraca, nem tão confusa. Fora sacudida apenas um dia antes por suas escolhas, mas agora não restara nenhuma.

Seguiu para os fundos do celeiro. Entrou. Dentro, Winston e as galinhas zanzavam pelo piso, ciscando à procura de partículas de grãos. De todos os animais da fazenda, eles talvez fossem os mais adaptados a sobreviver a uma tempestade como aquela. Podiam comer quase de tudo, e tinham sangue tão ralo que conseguiam suportar o extremo frio, desde que tivessem alguma impressão de abrigo.

Ela olhou pelo buraco nos fundos do celeiro. Brownie continuava de pé, embora parecesse fraco e mal se movesse. Talvez não sobrevivesse a muitos mais dias de tamanho frio e vento, com tão pouca forragem.

Rose nada podia fazer ali. Tinha um sentido de seus próprios limites — de tê-los atingido.

Então, surgiu uma ideia a partir das outras. Mais duas ovelhas estavam deitadas na neve, enfraquecidas durante a marcha de volta colina acima. Um cordeiro trêmulo deitava-se entre elas. Rose sabia que era o filhote que ela e Sam haviam tirado da ovelha naquela noite que agora parecia ter sido muito tempo atrás. Não podia deixar aqueles animais morrer congelados na neve.

Abriu caminho devagar ao subir a colina. Continuava a nevar, e o frio golpeava-lhe desde as patas até os ossos. Era difícil enxergar através do gelo e da neve incrustados nos olhos.

Ela impeliu-se para a borda do celeiro sobre estacas. Em geral, as ovelhas teriam se levantado de um salto, prontas para deslocar-se, subir a colina até o pasto ou descer até manjedouras cheias de forragem perto do celeiro. Agora, continuaram imóveis. Pela primeira vez na vida, Rose soube que não ia conseguir fazê-las se levantar. E não tinha motivo algum para tentar; não havia lugar para onde as conduzir.

Recebeu mais uma vez o olhar faminto do rebanho, o qual a encarava com os mesmos sentimentos de fadiga e apelo. Teria ela vindo buscá-los para levá-los ao pasto? Velhos instintos não se extinguem facilmente.

Uma ou duas se mexeram, mas Rose interrompeu o contato ocular e inspecionou calmamente os sobreviventes. O mapa em sua mente estava mais uma vez sendo reescrito, era lúgubre e menor.

Rose contornou o celeiro sobre estacas e sentou-se no outro lado, voltado para a colina acima, onde os coiotes podiam vê-la.

Ali, na neve, ia esperar.

Aquele era o seu lugar, diante das ovelhas, guardando o rebanho, mantendo-o seguro até o fim. Aquele lhe constituía o trabalho, o destino, a razão de ser. Katie surgiu-lhe de repente na mente, a voz calma, segura. Rose também se sentiu calma e segura.

Levar os animais ao pasto, dar-lhes tempo para comer, protegê-los. Afastá-los de barrancos e valas dentro dos quais pudessem cair, torrentes nas quais pudessem afogar-se, matas por onde pudessem embrenhar-se e perder-se. Trazê-los de volta para casa antes de escurecer. Fazia isso por eles e para servir aos humanos, como sua espécie servia a quem trabalhara com sua linhagem, a qual remontava a todo o tempo passado.

Mantinha-os seguros. Faria isso agora, quer Sam estivesse ou não ali, quer fosse ou não possível.

Até aquela tempestade, Rose jamais perdera uma ovelha ou carneiro, jamais perdera uma ovelha para uma ravina, um córrego, um coiote, jamais exibira nada menos que completa vigilância e cuidado.

Se Sam estivesse na fazenda e observasse, teria se admirado ao ver essa cachorra solitária, coberta de um pelo branco, de olhos fixos no alto da colina, atenta ao vento, à neve, aos coiotes, à vida e ao mundo, às suas opções e a seu dever. Teria se maravilhado com a responsabilidade, lealdade e coragem dela. Rose nunca fugira, nunca recuara, nunca deixara de fazer seu trabalho. Ele dissera isso a seu respeito tantas vezes, vangloriara-se da cachorra como se fosse uma filha, embora jamais em sua presença. Haveria sido condescendente, até insultante, elogiá-la demais cara a cara. O trabalho era a recompensa do animal.

Mas não havia ninguém para ver essa cachorra na colina; e nenhum humano jamais saberia o que estava prestes a acontecer ali.

Rose fechou os olhos, quando a neve acumulou-se no pelo e o frio se entranhou mais fundo até os ossos. Sonhou com sol, água fresca, correr pela mata, conduzir as ovelhas para fora, galopar no vento. Sonhou com Katie e suas histórias, Sam e seu trabalho, o cachorro selvagem dormindo seguro na casa, onde poderia sobreviver ao frio. Sonhou com inúmeros cachorros, ovelhas, cabras e vacas, ao longo de tantos anos.

Por um momento, fechou de novo os olhos.

O vento contava-lhe um milhão de histórias, e esta era sua coisa preferida, o sonho preferido: atravessar correndo o caminho, a ouvir a mata, e ali, no fim do caminho, estava Katie, à sua espera, à espera para lhe dar um pouco de comida, conversar com ela.

Então abriu os olhos.

Ergueu a cabeça para o céu cinzento e uivou, um lamento assustador, lancinante, que varou a tempestade e refletiu-se nos celeiros, no fundo da mata e elevou-se das árvores cobertas de neve.

Todos os animais que o ouviram pararam, prestaram atenção e muitos tremeram.

ROSE PISCOU AO ACORDAR, sacudiu-se para desprender a neve.

Inclinou a cabeça em direção aos coiotes na borda da mata. Parecia natural que ela e eles estivessem em diferentes extremidades da colina, naquela tempestade. Teve a estranha sensação de que sonhara com esse dia, passara pela experiência dele antes.

A essa altura, a pequena cachorra achava-se quase invisível na neve. Via milhares de colinas e prados, demasiadas ovelhas para contar, incêndios e vendavais, relâmpagos e inundações, celeiros e casas, e pareceu-lhe que as imagens remontavam cada vez mais ao passado, que a tempestade abrira-lhe portas dentro da cabeça, e ela precipitava-se além delas no tempo, quase rápido demais para vê-las claramente, através de muitas luzes e espíritos azuis.

ACIMA, NO TOPO da colina, o coiote viu que chegara seu momento. A cachorrinha saíra e deitara-se, expondo-se a ele. As ovelhas estavam no curral atrás dela, fracas e vulneráveis. Viu os corpos de vacas, bois, quase congelados no lugar. A cachorra falava com ele. Dizia a hora é esta. Nem ela nem ele tinham noções de vitória ou derrota.

Simplesmente faziam o que faziam. E o que acontecia era o que acontecia. Nada mais significava para eles.

O coiote viu que duas ou três das vacas, embora vivas, mal conseguiam mexer-se. Não ia atacar o marrom grande. Ia deixá-lo morrer e depois se banquetear com os restos.

Vira o outro cachorro entrar na casa; eles, coiotes, nunca entravam em lugares onde viviam humanos.

Portanto, a sua vez era essa. Cauteloso, examinou cuidadosamente em volta, à procura de outros humanos, outros cachorros. Ergueu o focinho para absorver quaisquer cheiros e aguçou as orelhas em busca de ruídos estranhos. Não encontrou nada e sentiu-se satisfeito. Sabia da existência de gatos e galinhas no celeiro, mas coiotes não entravam em celeiros nem em prédios. Isso era trabalho de animais inferiores, raposas, guaxinins. Coiotes caçavam no espaço aberto.

Virou-se para os outros da matilha. Todos conheciam o plano, comunicado através de linguagem corporal, olhos e viradas de cabeça.

Três se afastaram para a esquerda, deslocando-se devagar colina abaixo, para flanquear a cachorra num dos lados e bloquear qualquer fuga para as ovelhas. Três se separaram e circularam para a direita. Ambos os grupos se dirigiam à parte mais baixa, onde estavam Rose e o celeiro sobre estacas, para que as ovelhas não tivessem nenhum lugar para onde correr quando os animais fechassem o cerco vindo de cima, o de olhos azuis e seu bando.

Iam deslocar-se todos ao mesmo tempo, latindo, ladrando, em círculos, a atacar, rasgar gargantas, matar rápido, disseminar o pânico, banquetear-se ali e arrastar carne de volta ao covil, para eles e os filhotes.

A cachorra estava fraca, cansada, não conseguiria deter a matilha, e, mesmo que lutasse, pois viu que iria lutar, seria morta rápido.

O coiote líder deitou-se e esperou até os outros chegarem ao sopé da colina e se posicionarem.

Rose viu-os começarem a circular. Sabia que estavam prontos para atacar. Pôs-se a rosnar baixo, e o rufo eriçou-se. Ela iria lutar.

A mente ainda parecia fugir-lhe, ainda correr através do tempo ao passado remoto, para diferentes lugares, novos cenários, imagens poderosas e perturbadoras. Ela se imaginava mais vigorosa, desejava encontrar uma história à qual recorrer, alguma lembrança para a qual apelar. Não encontrou nenhuma.

Sentou-se ereta, desprendeu-se da neve e esperou.

Sentia-se em paz, com um senso de resignação. A neve rodopiava ao seu redor em pequenos tornados. Todos os outros animais, ao pressentir o que se aproximava, ficaram imóveis. Ela perscrutou colina acima. Não viu nenhum movimento.

O COIOTE LÍDER latiu, um coro arrepiante ecoou de um lado ao outro através do vento e da rajada de neve. Dado e recebido o sinal de que a caça se iniciava, a matilha devia deslocar-se para a matança. Ele abaixou a cabeça, assumiu o comando e partiu direto para a cachorrinha, que se levantou para enfrentá-lo.

O vento golpeava-lhe o focinho, o gelo tornava a descida difícil, a neve era espessa, e de vez em quando mal conseguia ver a forma da cachorra. Não sentia nenhuma emoção relacionada a matá-la, isso é o que tinha de ser feito e ele ia fazê-lo, embora sentisse o respeito que ambos haviam tido um pelo outro, a princípio.

Galopou colina abaixo. Viu os demais no lugar certo, avançavam da esquerda e da direita, obedeciam-lhe à espera de que extraísse o primeiro sangue. Os ventos assobiavam e guinchavam, eriçavam os pelos e disparavam remoinhos de neve na escuridão.

Rose ergueu os olhos para a tempestade. Podia fugir ou lutar. Ficar imóvel e ser capturada não era uma opção.

O coiote diante dela hesitou, avançou, depois diminuiu o avanço para um rastejar, talvez uma mudança de estratégia ou um esforço para distraí-la ou confundi-la. Quando o fez, os dois à direita e um à esquerda aproximaram-se.

Ela agora ficou em dúvida de onde viria o ataque, e percebeu que foi deliberado. Não podia olhar para todos os lados ao mesmo tempo, sobretudo se os coiotes usavam a neve ofuscante como cobertura.

Virou-se para um lado e surpreendeu-se ao sentir uma mordida vigorosa, cortante, no ombro oposto, destinada à garganta, mas desviada porque ela se movera. Mergulhou os dentes no nariz de um dos coiotes, que ganiu e saltou para trás. Em seguida, ela viu dois outros em cima de si, e sentiu lancinantes mordidas nas pernas e, mais uma vez, no ombro. Cachorros de pastoreio não eram lutadores, eram corredores. Não tinham mandíbulas fortes nem davam mordidas vigorosas. Sabia que seus dentes não eram páreo para os de coiotes.

Sentiu cheiro de sangue e a cabeça leve quando desabou no chão. Viu as manchas na neve e ouviu as ovelhas gritar assustadas, à espera dos coiotes. Ouviu a laboriosa respiração das vacas e o batimento cardíaco dos carneiros, além dos frustrados latidos do cachorro selvagem. Olhou à procura de Sam e Katie, mas não os avistou. Os coiotes circundavam-na, pressionando o líder a fazer a matança, e ela sentiu a energia esvair-se do corpo em sangue, exaustão, incerteza. Não tinha opções agora, enquanto o frio infiltrava-se em seus ossos e subia para o coração.

Pensou mais uma vez em Sam e Katie, e na mãe, nas ovelhas, quando sentiu um grande fracasso instalar-se em si. Não podia mais protegê-las.

Também sentiu paz, ao aceitar que talvez houvesse, afinal, concluído seu trabalho, que encontraria descanso na terra das luzes azuis com a qual sonhara.

O COIOTE LÍDER rosnou uma advertência para que os outros recuassem. A cachorrinha ferida sangrava, quase liquidada. Era função e trabalho dele concluir a matança.

Não ia comer-lhe o corpo, nem permitir que os demais coiotes o fizessem. Precisava ser morta, mas não sofreria rapinagem. Ele tinha um próprio código de como se faziam as coisas, e ela merecia o seu respeito. Era ligada aos seus, embora seguisse um caminho diferente. Em outra época, poderia ter sido o líder a olhar o alto daquela colina, ou ela a olhar o sopé.

Parou sobre seu corpo. Ainda respirava, apesar de enfraquecer, e a mancha de sangue espalhava-se pela neve. A cachorra fez um beiço e em seguida fechou os olhos, como se para esperar. Não tentou fugir nem lhe mostrar nenhuma fraqueza, medo ou consideração. Rápida como um raio, abriu os olhos, quando ele abaixou a cabeça, e de repente o golpeou e arrancou-lhe um pedaço do lábio inferior, o que o assustou e o fez saltar para longe. Os olhos dela irradiavam desafio.

O líder recuou ao preparar-se para atacar dessa vez, rasgar-lhe a garganta.

Quando se aproximou, o pelo em seu rufo eriçou-se e um novo cheiro penetrou-lhe as narinas. O coiote imobilizou-se. A neve recomeçara a cair pesada, e uma violenta rajada de vento atirou gelo dentro dos seus olhos. Ele virou a cabeça para o outro lado. A cachorra, deitada de lado, mal respirava, sangrava, fraca demais para levantar-se.

O atacante não se moveu, com os pelos eriçados, pronto para atacar, as orelhas inclinadas, os olhos arregalados e as costas rígidas.

Ouviu um pavoroso e lancinante uivo elevar-se pela encosta da colina, ecoar dos celeiros e da casa da fazenda atingidos pela tempestade, tão alto, profundo e assustador, que parecia repercutir do céu.

Furioso, urgente, arcaico, paralisaria a alma de qualquer animal que o ouvisse.

O coiote ouvira aquele uivo apenas uma vez antes. E conhecia-o, conhecia-lhe o significado.

Era o uivo de um lobo. E ressoou tão alto que pareceu perfurar-lhe e gelar o sangue.

Ele olhou a cachorra embaixo, mas ela não estava mais lá.

Em seu lugar, onde o corpo agonizante havia pouco se estendia, surgiu um enorme lobo de olhos amarelos, com uma comprida língua dependurada, peito e corpo compactos, um espesso rufo pesado com neve. O lobo era imenso, e o líder não conseguia ver além do animal. Com uma virada de cabeça, erguera um dos coiotes que rodeavam Rose, rasgara-lhe a garganta e atirara a carcaça na neve, uma mensagem transmitida com tanta facilidade e elegância que poderia quase não ser entendida.

O lobo tinha uma mandíbula enorme, poderosa, com sangue gotejando dos dentes. Não se via nenhum sinal da cachorrinha. As ovelhas silenciaram, paralisadas de terror, imobilizadas no mesmo lugar. Com exceção do vento, um silêncio mortal instalara-se sobre a fazenda. Abaixo, perto da casa, o coiote viu o cachorro selvagem, confuso, mancando, esforçando-se para chegar a eles através da neve. Mas não conseguiu continuar e caiu no chão não longe da porta.

O lobo pareceu crescer de tamanho ao aproximar-se, com os olhos em chamas. A imensa criatura, muitas vezes do tamanho dos coiotes, travou o olhar no líder. Em seguida interrompeu o contato ocular, ergueu a cabeça e tornou a uivar para a tempestade, o céu noturno. Era um som tão lancinante, furioso e poderoso, que parecia conter o vento, a neve, transformar até o ar, criar o seu próprio furacão, outro tipo de tempestade, para desafiar a nevasca.

Tratava-se de um som antiquíssimo, que tinha poder e sentido, remontava aos mais longínquos alcances do tempo.

Com o pelo eriçado, o coiote agora recuava colina acima. Todos os outros haviam desaparecido, partido pela neve, de volta às matas.

Não retornariam nessa nem em qualquer outra noite.

O líder virou-se e, em seguida, correu, incapaz de olhar de novo a insuportável visão.

14

O CÉU ESTAVA AZUL, NEM SEQUER UMA NUVEM À VISTA.

Da janela do helicóptero da Guarda Nacional, Sam via a fazenda a grande distância. O dia tão claro permitia-lhe enxergar direto até Vermont.

Tinha o braço seguro firmemente por uma tipoia, e os dedos ulcerados envoltos em gaze. Surpreendeu-o um pouco ter conseguido ganhar a batalha para retornar à fazenda. Dissera-lhes que todo o seu sustento dependia desse regresso, e, embora houvesse verdade na afirmação, atormentava-o mais a imagem de Rose recuar do helicóptero, optar por permanecer naquela terrível tempestade, para ficar com a fazenda, as ovelhas e o cachorro selvagem.

Eles haviam cedido afinal e concordado em levá-lo de volta depois de três dias.

Não conseguia imaginar que ela sobrevivera, mas nunca se perdoaria se houvesse alguma chance de que continuasse viva e ele não tivesse se mexido, mimado em alguma cama de hospital. Ao perscrutar da janela, ficou esmagado pela devastação que viu abaixo, celeiros desabados, árvores tombadas, linhas de transmissão de força afundadas, estradas intransponíveis, vacas mortas e rígidas nos pastos.

As reportagens dos noticiários eram horríveis: cinco dias de neve, temperaturas abaixo de zero e ventos enfurecidos que alcançavam mais de cento e doze quilômetros por hora. Um dos casais de fazendeiros mais antigos fora encontrado morto em casa, e um ou dois outros haviam desaparecido. A expectativa era de que os estragos fossem descomunais. Como poderia uma fazenda sobreviver àquele tipo de devastação, e como poderia uma cachorra, mesmo tão dedicada e inteligente quanto Rose?

Os policiais da Guarda entenderam, após horas de apelo, depois que ele ameaçou vestir-se e pedir carona de volta, por isso, quando o céu clareou e o voo tornou-se afinal seguro, eles decolaram o helicóptero com Sam, o qual seria levado ao chão da mesma forma como o içaram.

Os médicos se preocupavam com o braço do paciente, quebrado em dois lugares. Mas iriam deixá-lo com comida, um gerador maior e um aquecedor portátil elétrico, além de os policiais esperarem que a energia voltasse dali a uma ou duas semanas. Equipes de remoção de obstáculos já tentavam desobstruir as estradas, portanto ele e dois outros fazendeiros, marido e mulher e os dois filhos pequenos, de Bunker Hill Road, iam ser transportados de volta às respectivas fazendas.

Quando Sam contou ao piloto a história de Rose, eles concordaram em deixá-lo primeiro, com três ou quatro fardos de feno. Mas, embora esperasse apenas qualquer coisa, a julgar pelas reportagens dos noticiários que estivera ouvindo, continuava chocado pelo que viu da janela quando o piloto circundou a fazenda duas vezes, à procura do melhor lugar para deixá-lo.

Mal a teria reconhecido, se não fosse pela parte do telhado de ardósia do grande celeiro projetada para fora da neve como um navio abandonado no gelo. A casa estava enterrada em depósitos de neve por quase todo o caminho acima até o segundo andar. O telhado do celeiro desabara. Ele viu uma vaca morta estendida de lado, as outras rígidas de pé atrás do celeiro. Viu algumas ovelhas deitadas no interior, totalmente cercado por montes de neve, contudo de tanta distância acima não conseguiu ver se estavam vivas ou mortas.

No alto, atrás do celeiro sobre estacas, viu outro cadáver de animal e seu coração quase parou de bater. Precisou de um instante para distinguir que era um coiote. Mesmo de tão alto, notou as manchas de sangue ao lado da carcaça na neve. Amado Deus, pensou, quem poderia ter matado um coiote? Certamente, Rose não.

Perguntou-se onde era possível ela estar, contudo, assim que a pergunta atravessou-lhe a mente, o coração tornou a afundar; sabia que era impossível a cachorrinha ter sobrevivido a uma luta com coiotes, por mais dura e determinada que fosse. Talvez houvesse fugido. No entanto, não o faria. Rose, não. E se estivesse viva, não teria corrido para investigar o helicóptero, ver se ele regressava para casa?

O piloto apontou a área de pasto atrás do celeiro como o único lugar onde o helicóptero podia descer o suficiente para largá-lo. Iam enviar alguém abaixo com Sam para ajudá-lo a chegar até a casa, através dos depósitos de neve, levar um pouco de feno aos animais. Ele estava desesperado para tornar a pisar no terreno. Mal se passara um minuto sem que insistisse em descer primeiro.

O piloto entregou-lhe um aparelho de rádio transmissor e receptor portátil, dizendo-lhe que se comunicasse por meio de rádio se precisasse de ajuda nos dias seguintes.

Sam perguntava-se o que restava, se poderia de fato sobreviver ali agora. E não conseguia obter a imagem de Rose, parada ali sozinha no vão da porta, incapaz de imaginar que não estivesse no lado de fora à espera dele. Fortaleceu-se quando um dos guardas ajudou a pô-lo num arreio, manobra que tornava tudo mais desajeitado por causa da tipoia que lhe envolvia o braço. Era difícil conciliar o tranquilo azul do céu com a terrível e infernal tempestade que assolara a área.

Baixaram-no devagar até o terreno, com o guarda que o acompanharia por mais ou menos uma hora, até que o helicóptero retornasse sobrevoando em círculos para tornar a suspendê-lo de novo na partida. A neve elevou-se numa nuvem e Sam procurou o lugar onde ficara enterrado, onde Rose o retirara após escavar. Viu os animais olharem-no de longe, perturbados pelo helicóptero. Aliviou-o notar que se moviam.

Mas não viu Rose.

Sabia que ela, decerto, teria resistido aos coiotes. Talvez nem sequer tivesse uma chance de subir até o celeiro sobre estacas para ver o que acontecera até que parte da neve começasse a derreter.

O Guarda informou-o de que poderiam desobstruir a estrada mais ou menos em um dia, mas sem promessas. Juntos, também tinham traçado um plano para jogar feno aos animais encurralados, e o guarda tinha lhe dado um número para ligar. Um helicóptero passara de fato mais cedo e despejara alguns fardos perto do celeiro sobre estacas e no lado de fora para as vacas. Agora que se aproximavam mais, Sam conseguiu vê-lo, além de as pegadas provando que pelo menos alguns dos animais haviam chegado à forragem.

O piloto fizera uma anotação do celeiro sobre estacas e disse que tentaria voltar e jogar mais alguns fardos do ar, assim que houvessem inspecionado todas as fazendas em busca de resgate humano. Pessoas continuavam presas dentro de casa sem aquecimento, explicou, e claro que elas seriam sua primeira prioridade.

— Boa sorte para encontrar sua cachorra! — gritou um dos guardas, enquanto baixavam Sam da barriga do helicóptero.

Ele pousou suavemente na neve, a qual subia até os joelhos, desengatou o arreio e, em seguida, permaneceu atrás, enquanto a máquina logo tornou a subir, guinar até a casa da fazenda, para largar um pouco de comida e o aquecedor portátil.

O guarda que desceu com Sam era jovem, em boa forma física e transmitia calma e competência. Falava baixo e com autoridade, além de demonstrar verdadeira preocupação. Levava muitos equipamentos, fones de ouvido, medidores, lanternas, pregadores e ferramentas. Claro que já fizera isso antes.

O helicóptero voltaria para buscá-lo e deixar Sam, se parecesse seguro o bastante. Sam disse a si mesmo que em hipótese alguma eles o levariam embora da fazenda de novo, não importava o que encontrasse lá.

O guarda ajudou a trilhar um caminho até a porta do celeiro, e juntos eles fizeram sinais ao helicóptero para que decolasse. Sam disse ao guarda que a primeira coisa que tinham de fazer era encontrar Rose e, depois, levar aquele feno para os animais.

A porta deslizante estava bloqueada pela neve, mas havia uma menor de vaivém embutida, e esta se abriu depois que Sam a golpeou com o punho esquerdo e o guarda empurrou-a.

Os dois subiram ao interior.

— Rose, Rose! — berrou Sam — Você está aqui? Rose?

Sabia com certeza que ela não estava, mas ainda não conseguia admiti-lo.

Ouviu as ovelhas gritar do celeiro sobre estacas, excitadas por ouvir o som da voz dele, e ficou aliviado ao saber que pelo menos algumas estavam bem.

Mas arquejou quando entrou no espaço de trabalho escuro e aberto do grande celeiro. O telhado desabara na parte de trás, neve pesada empilhava-se por toda parte. Mais surpreendente, parecia que haviam arrombado as portas dos fundos. Duas galinhas aconchegavam-se no poleiro, uma morta. Viu Winston acima num canto, vivo, mas apenas por pouco. Mostrou ao guarda onde ficava a ração e os dois lançaram um pouco para o galo, que acordou e apanhou-a faminto com o bico.

Viam-se vigas, telhas de ardósia e detritos tombados em todo o espaço. Sam notou a ovelha morta, pisoteada, perto dos fundos do celeiro e não conseguiu imaginar como ela chegara lá. Quando atravessou a neve e saiu pela parte de trás do celeiro, viu a maioria das vacas, vivas, mas tremendo paradas no lugar, como observara do helicóptero. Viu Brownie deitado junto aos fundos, entretanto respirava. Assim que ele e o guarda berraram e bateram os pés, o velho touro esforçou-se para levantar-se.

O guarda correu até a área de lançamento do helicóptero, pegou um fardo de feno, atirou parte diante de Brownie e, em seguida, espalhou o restante entre as outras vacas. Alguns dos fardos do lançamento anterior já haviam sido comidos. A Guarda também lançara um gerador portátil, e o guarda disse que ia levantá-lo e acioná-lo a fim de bombear água para a casa, assim que encontrassem a cachorra.

Sam tentara afastar Rose para o fundo da mente. O que mais temia agora era encontrar-lhe o corpo.

E se estivesse enterrada na neve e ele só a encontrasse na primavera? Ou se nunca a encontrasse? E se os coiotes a houvessem arrastado para longe?

Sentia vontade de chorar, mas não agora, não na frente do guarda. O rapaz dizia que podia amarrar uma corda num fardo e arrastá-lo até o celeiro sobre estacas para as ovelhas que haviam sobrevivido. Sam achou que tinha ouvido um ou dois gritos de cordeiros, além dos das ovelhas. A manjedoura congelara inteira. Como podia qualquer um deles ter sobrevivido a isso, para não falar ao frio, que despencara para abaixo de trinta graus?

Então ouviu um rosnado baixo, contínuo. Virou-se e tentou localizá-lo. Vinha do canto nordeste do celeiro, de um quarto que ele usava para guardar ferramentas, baterias e cabrestos. O jovem soldado também o ouviu. Juntos, correram para lá, afastando a neve com chutes e pisando no corpo da galinha congelada. Sam notou pegadas de raposa na neve, e não se surpreendeu.

Foram necessários vários minutos para os dois chegarem ao canto extremo do celeiro, por entre os detritos, a neve, baldes virados e mangueiras congeladas.

Arrombou a porta do pequeno depósito. Estava escuro, e quando o guarda, que seguiu na frente de Sam, pegou uma lanterna, o rosnado tornou-se mais distinto, um pouco mais ameaçador. Ele apontou a luz ao redor do quarto escuro.

— Escute — berrou para Sam —, acho que encontrei seu cachorro.

Sam correu até lá e olhou por cima do ombro do guarda.

— Esta não é Rose — disse, com o coração avolumando-se de novo.

Mas ele o conhecia; era o cachorro selvagem, que antes se chamava Flash. Levantou-se com esforço e rosnou para os homens, expôs os dentes, mas sem nenhuma verdadeira ameaça na atitude. Sam percebeu que o animal tentava proteger alguma coisa.

Teve uma repentina lembrança do cachorro passeando ao redor da caminhonete surrada de McEachron e maravilhou-se com a longa e estranha jornada daquela criatura que acabara por trazê-la para lá. Vira a ligação entre ele e a, em geral, reservada Rose. Sam abaixou-se num joelho, e o pobre cachorro quase desabou no chão.

Agora que o reconhecia, abanou o rabo, ganiu e ofereceu o focinho à mão de Sam, o qual achou que o animal assemelhava-se mais a um esqueleto do que a um cachorro.

O guarda apoiou a mão na pistola no coldre, mas Sam logo interferiu e disse-lhe que ele estava bem, curvando para a frente quando o animal vacilou. O velho cachorro deixou que ele lhe tomasse a cabeça nas mãos.

— Você está cansado e fraco, não, velho camarada — disse com a voz baixa, calmante. — E está protegendo alguém. Aposto que passaram tempos infernais aqui. Vamos dar uma olhada.

Curvou-se para a frente, e ali, atrás do velho cachorro, na luz brilhante da lanterna do guarda, ele a viu.

Deitada numa pilha de feno apodrecido estava Rose. Via-se sangue coagulado fosco no pescoço, no ombro e nas duas pernas. Tinha as patas retalhadas e incrustadas de sangue, os olhos fechados, o corpo imóvel. Ele não soube se respirava ou não.

— Minha cachorra, minha pobre menina — disse Sam, e não pôde evitar, deixou escapar um soluço diante da visão de sua border collie.

O guarda retirou as luvas, pediu a Sam que esperasse e, em seguida, correu para buscar a mochila médica. Pegou seu walkie-talk e pediu para ser conectado à clínica veterinária duas cidades depois dali.

Sam estendeu a mão e tocou Rose, afagou-lhe a cabeça, apalpou-lhe o corpo, que estava quente, não rígido.

— Que aconteceu, menina? Que aconteceu aqui? Fique bem... *por favor*.

O guarda retornou e começou a cuidar dela.

— Ouço batimento cardíaco — confirmou. — Ela está viva.

Retirou duas seringas, injetou uma com adrenalina e depois a outra com analgésico. Disse que já obtivera autorização para levar Rose para a clínica no helicóptero quando sobrevoasse de volta ali para pegá-lo. Explicou que ela precisava ir, e rápido.

— Perdeu grande quantidade de sangue e está muito fraca — disse a Sam. — Tem algumas feridas terríveis, profundas.

A clínica ficava bem no caminho de retorno à base deles, acrescentou. O batimento cardíaco de Rose era fraco, mas nítido. Talvez ainda houvesse tempo.

O guarda fez uma padiola com sacos de ração e delicadamente ergueu a cachorra ao deitá-la ali. Rose abriu os olhos a certa altura e abanou um pouco o rabo quando olhou para Sam. Curvou-se para a frente como costumava fazer para lamber-lhe a mão, e ele estendeu-lhe o braço bom.

— Olá — disse, baixinho, pois não queria excitá-la.

O guarda deu-lhe uma injeção de sedativo brando destinado a relaxá-la para a viagem de helicóptero. Ela tornou a fechar os olhos e por um instante Sam achou que se fora.

ROSE OUVIA APENAS a respiração do cachorro selvagem, e isso só de vez em quando.

Sentia-se desligada do corpo. Diferentes imagens vinham flutuando pela sua mente, a mãe, a fazenda, Sam, Katie, as ovelhas, o cachorro selvagem, num borrão em constante movimento. Ela não conseguia pôr nenhuma em foco. Nadava numa piscina de escuridão, mais profunda e preta a cada minuto que passava.

Sentia a energia esvair-se de si. Estava além da exaustão, os intervalos de vigília ficavam cada vez mais curtos e fracos. Dia e noite haviam se fundido num cinzento úmido, hostil.

Fracamente, ouviu o cachorro selvagem latir e rosnar, o que a despertou, e, em seguida, teve outro sonho, só que desta era a voz de Sam, próxima, tranquila, baixa e amável. E então farejou-lhe a mão e soube que ele estava ali.

Sam voltara.

Ela tentou encontrá-lo, lamber-lhe a mão, abanar o rabo, mas não conseguiu mexer-se. Pensou nas ovelhas e prestou atenção a elas, mas não conseguiu ouvi-las.

Embora os analgésicos começassem a surtir efeito, Rose sentia imensa dor no corpo todo, e em seguida sentiu-se em movimento, o que causou uma grande onda de tontura e depois calma.

Sam retornara.

E aí ela deslizou para a escuridão.

OS DOIS HOMENS retiraram-na delicadamente dos fundos e logo depois ouviram a pancadaria do helicóptero retornar. O piloto baixou um equipamento de segurança, e eles ergueram Rose, visivelmente não mais consciente agora, prenderam-na dentro com as correias. Ambos a observaram, enquanto fazia a mesma misteriosa ascensão que Sam fizera. Desta vez, era ele quem ficava atrás, para administrar a fazenda sozinho.

— Não consigo imaginar o que aconteceu aqui — disse o guarda, tão curioso quanto Sam.

Também disse que ia tratar as feridas do velho cachorro, que não pareciam ameaçar-lhe a vida.

Eles retiraram e puseram mais feno do lado de fora para Brownie e o punhado de vacas sobreviventes e depois trouxeram ração para as galinhas restantes. Pregaram uma cobertura provisória de tábuas para impedir a entrada de raposas e outros predadores e atiraram feno sobre a cerca do redil das cabras, onde estas continuavam todas vivas e gritavam alto por comida.

O guarda levou-lhes um balde de água da bomba, que havia, afinal, descongelado e agora fluía. Disse a Sam que todos os três animais pareciam abalados, mas bem, queixando-se com vozes beligerantes, no entanto, saudáveis.

Foi ele quem notou os cascos de Carol projetados acima da neve. Sam estivera à procura dela em todos os lugares e não se surpreendeu ao saber que morrera. O guarda disse que não parecia ter sido morta por coiotes, e Sam quase se sentiu grato por isso.

— Coitada da velha menina — comentou com o guarda. — Levou uma vida dura. Alegra-me o fato de que passou alguns bons anos aqui. Espero que tenha morrido tranquila.

O guarda parou sem jeito, porém não apressou Sam a acompanhá-lo.

— Meu pai teria ficado horrorizado de me ver alimentar uma mula inútil — disse Sam. — Mas eu gostava da velha menina, e era minha mulher, contudo... Katie... que realmente a amava. Levava-lhe cenouras todas as manhãs, e, quando Carol adoecia e tinha de tomar remédios e deixar que lhe aplicassem emplastros quentes nas pernas, Katie saía e tocava Willie Nelson para ela no rádio-gravador. Adorava aquela mula. — Ele sorriu e olhou o que podia ver do cadáver. — E a mula adorava Willie Nelson. Simplesmente o adorava.

Então ele se afastou.

Os dois homens subiram o pasto até o mais distante a que podiam chegar, embora para Sam não fosse distante. Sentia uma dor terrível, mas não quis tomar muitos analgésicos, pois desejava ver o que acontecera na fazenda, além de ajudar, se possível. O guarda não o deixava fazer muita coisa. Enfiou a mão num de seus estojos e deu-lhe duas pílulas para dor.

— Meu pai também era fazendeiro — disse. — Tínhamos até um border collie como a sua. Escute, sei que você está magoado, e ninguém pode lhe dizer que vá com calma. Mas vá com calma.

Estendeu a mão.

— A propósito, me chamo Kevin — disse.

Sam apertou-a com a do braço bom.

— Sam.

Kevin rebocou parte do feno num trenó improvisado. Os montes de neve elevavam-se acima da cabeça deles em alguns lugares, e as camadas incrustadas de gelo e neve testemunhavam a força do vento e do frio. Sam viu onde uma avalanche de neve despencara do telhado do celeiro sobre estacas.

Quase todas as ovelhas continuavam vivas, até uns carneiros fracos, alguns deles novos, ainda tentavam mamar em suas mães exaustas e emaciadas. Neste momento, Kevin deu injeções de vitamina aos cordeiros. Sam tinha leite em pó para filhotes na casa da fazenda, que mais tarde eles planejavam trazer em mamadeiras.

Kevin abriu o caixote onde estava o gerador, arrastou-o para o celeiro, despejou óleo dentro e acionou-o com manivela. Após se sacudir ruidoso, irrompeu com vida, quando o guarda conectou-o ao hidrante com sistema *frost-free* e a uma mangueira no celeiro, pois muitos dos canos de água haviam se rachado ou quebrado. Também conectou ali dois removedores de gelo, e em poucos minutos surgiu água nas gamelas. Os animais não se precipitaram em direção à água, mas chegaram devagar, quase um por um, para beber.

Sam continuava maravilhado por ter encontrado Rose viva, torcendo para que ela sobrevivesse, e parecia-lhe ter coisas demais para absorver, sobretudo com um desconhecido por perto. Sentia-se estranho sem Rose, como se a fazenda houvesse perdido parte de sua alma. Não parava de olhar em volta, à procura dela, e tinha de lembrar a si mesmo que ela fora levada dali. A fazenda parecia especialmente desolada sem a cachorra.

Cerca de meia hora depois, o piloto transmitiu pelo rádio a notícia de que Rose se submetia a uma cirurgia na clínica veterinária e que seu estado era "extremo". Iam fazer tudo o que pudessem, mas ela perdera muito sangue, sofria de ossos quebrados, ferimentos de mordidas e hipotermia.

KEVIN ERA um experiente caçador e rastreador, e Sam conhecia cada centímetro da fazenda. Juntos, os dois examinaram com toda a atenção o celeiro sobre estacas, assim como todo o caminho de volta até a casa, reconstituindo o que podiam do que acontecera na fazenda durante o último dia da nevasca. Não resultou muita coisa.

O que surpreendeu o guarda foram alguns dos rastros que encontrou.

— São enormes, decididamente pegadas de lobo. Não consigo entender essa parte.

Sam mostrou-se cético. Poucos lobos haviam sido vistos na redondeza de Granville durante gerações, disse, e o que estaria fazendo um na fazenda naquela tempestade? Não teria matado Rose e o cachorro selvagem?

Kevin ficou perplexo. Tinha certeza de que se tratava das pegadas de um único e grande lobo; vira-os antes no oeste, e havia um coiote morto com enormes marcas de dentes no pescoço e nos ombros. Os rastros do lobo e da cachorra seguiam juntos uns dos outros, sugerindo que os dois, de algum modo, haviam ficado juntos.

Kevin pegou a câmera digital e fez algumas fotos tiradas de perto na neve. Iria enviá-las à universidade estadual para análise, disse, e talvez eles lhe dessem uma resposta definitiva.

Além disso, ambos os homens concordavam, parecia que Rose havia sido ferida ao defender o celeiro e os animais. Não conseguiram ter certeza de muito mais. Parecia haver indícios de raposas e de alguma coisa que tivesse arrombado a porta do grande celeiro, talvez um pânico dos bois e as vacas.

Kevin carregou o cachorro selvagem do celeiro para o interior da casa e deitou-o delicadamente. O velho animal não expressou nenhuma resistência. Sam trouxe-lhe comida e água. O guarda sedou-o, limpou-o e cobriu as feridas, depois lhe deu alguns antibióticos de Sam destinados a seres humanos, mas que também funcionariam no cachorro.

— Acho que ele vai se recuperar — observou Kevin.

— É — disse Sam. — Passou por circunstâncias muitos difíceis. Mas tem um lar aqui agora... se permanecer.

Era o mínimo que ele podia fazer por Rose, pensou.

— Ele vai permanecer — afirmou Kevin. — Já teve o suficiente.

O GUARDA não conseguia parar de falar sobre o lobo. O estranho, disse, era que não se encontraram marcas de lobo em nenhuma das ovelhas, nem em Rose, nem no cachorro selvagem, só no coiote, o qual fora morto rápido, uma matança limpa.

Como poderia ter acontecido isso?

— O lobo estava lá em cima, perto do celeiro sobre estacas... — disse, quase para si mesmo. — Por que não teria levado uma das ovelhas? Será que arrastou alguma?

Mas ele não conseguiu encontrar pegadas longe do lugar onde jazia o coiote, quaisquer rastros de entrada ou saída do pasto. Era quase, observou, como se o animal houvesse saído do céu e partido da mesma maneira.

Sam nada disse. Precisaria de tempo para tentar elucidar o mistério.

Kevin escavou um espaço ao redor da porta dos fundos, ajudou Sam a acomodar-se na casa e conectou o outro gerador de emergência que haviam lançado para aquecimento, em seguida transmitiu pelo rádio que estava pronto para que viessem buscá-lo.

Quando o helicóptero chegou, disse que desejava o melhor para Rose, prometeu voltar e visitá-los, quando pudesse.

— Pode ligar para o veterinário e resolver como a trazer de volta. Suponho que ficará lá por algum tempo, e as estradas já estarão melhores então. Boa sorte, senhor. Vá com calma, certo?

Apertou a mão boa de Sam.

— Obrigado — gritou Sam, acima do barulho do rotor.

O helicóptero içou o guarda e afastou-se estrondoso.

Sam sentiu uma onda de solidão, por Katie, por Rose, pela fazenda no estado em que se encontrava. Sentiu a estranha ausência de Rose, sempre ali com ele, sempre pronta. Perguntava-se se ela voltaria.

Também o alegrava, de um modo curioso, o fato de estar sozinho, a não ser pela companhia do velho cachorro. Não sabia o que concluir do que ele e Kevin haviam encontrado. Não conseguia reconstituir os fatos. Não era velho, nem preso aos hábitos arraigados, como o pai. Dispunha-se a mudar, experimentar coisas novas, mas ainda assim era um fazendeiro, e nada existia em sua vida ou experiência para ajudá-lo a entender o que poderia ter acontecido.

Sempre acreditara que cachorros eram cachorros, e não se devia vê-los como algo mais, agora, contudo, não sabia o que pensar. Parecia-lhe que Rose de algum modo salvara a maioria dos animais, a fazenda, e tratava-se de uma ideia que simplesmente ia além de sua compreensão.

Já se informara sobre a maioria das outras fazendas, celeiros destroçados, quase todos os animais mortos. Era o que esperava encontrar ali, para o que se preparara.

Sam voltou para a casa e sentou-se na sala de estar. O gerador zumbia diante da porta da cozinha e alegrava-o ver-se de volta à sua fazenda, por mais terríveis que fossem os estragos. Tinha algum seguro, e o governo já prometera ajudar os fazendeiros atingidos pela tempestade, embora soubesse que os políticos adoravam fazer promessas, e a ajuda governamental talvez se revelasse mais problemática do que a própria tempestade.

Quase temia pensar a respeito. Olhou o velho cachorro adormecido embaixo e sentiu uma onda de afeto por ele. Satisfazia-o tê-lo ali perto, pois o animal participara de tudo que acontecera.

Rezava para que Rose sobrevivesse, mas não se atrevia a ficar cheio de esperanças. Teria dificuldade para se perdoar por deixá-la ali, para enfrentar coiotes e talvez até um lobo.

Sentia-se exausto e padecia. Um ano inteiro fora extenuante, e ele continuava inseguro — pela perda de Katie, as dificuldades da fazenda, as desgastantes responsabilidades de administrá-la sozinho e agora esse desastre. Que mais poderia acontecer? Desvencilhou-se, contudo, dessa autocomiseração, como o pai sempre o aconselhara fazer. Livrar-se de sentir pena de si mesmo, como um cachorro que acabava de entrar ao sair da chuva.

O sol se infiltrava na casa pelas grandes janelas da casa, mais forte que nunca, graças à imensa brancura refletida de toda aquela neve. Viu que a casa em si estava intacta, aceitável. Não sofreu nenhum grande dano no interior. Por um momento, sentiu-se esperançoso. Talvez recuperasse sua vida, ou pelo menos parte dela. Talvez até a sua cachorra. Orou para que assim fosse, ao pensar em Rose submetendo-se à cirurgia, desejando-lhe força e transição segura, e endureceu-se para o pior. Desejava ter alguém com quem conversar a respeito, mas não tinha. E com muita probabilidade não teria.

Tornou a olhar o cachorro embaixo igualmente exausto e surpreendeu--se com a afinidade que sentia por ele. Não quisera outro cachorro, sempre resistira à ideia.

— Escute — chamou. — Você tem um lar aqui se quiser.

Flash mexeu-se, levantou-se com dificuldade, abanando o rabo, e seguiu vagaroso para olhar Sam. Pôs as patas dianteiras ao seu lado no sofá, fraco demais para impelir-se todo até ali.

— Aposto que faz muito tempo que você não dorme em algo macio — Sam disse tanto a si mesmo quanto ao cachorro.

Com o braço direito bom, curvou-se e puxou-o para cima. O cachorro deu um longo suspiro e mergulhou no sono. Passou a noite com a cabeça no colo de Sam.

Este, porém, não parou de se agitar e virar, à espera de Rose chegar e examiná-lo. Mas ela não estava ali.

15

UMA SEMANA E MEIA DEPOIS QUE A IÇARAM, SAM recebeu um telefonema do veterinário dizendo que Rose podia voltar para casa. Contudo, ele foi inflexível: mesmo que tivesse de ser amarrada ou ficar numa cesta gradeada, a cachorra precisava descansar. E não apenas durante dias, mas meses. Precisava de sossego. Submetera-se a uma longa cirurgia, transfusão de sangue, pontos e reconstituição óssea. Tinha pinos numa das pernas.

Tinha de ser conduzida numa correia e tomar suas pílulas, analgésicos e antibióticos. Nada de correr nem trabalhar. Sam sorriu ao ouvir isso. Rose nunca pusera uma correia na vida. E tampouco nunca descansara, pelo que ele se lembrava.

Como a maioria dos fazendeiros, Sam era cauteloso com veterinários e dava pouca atenção às recomendações deles. Que sabiam, além de enviar contas pelo correio?

Mas o tranquilizou, sim, seria cuidadoso. Sentia-se emocionado demais em relação a ter sua cachorra em casa para se preocupar com o restante. Depois que haviam transportado Rose até o hospital, ela passou por altos e baixos durante vários dias. O médico fora tão cauteloso ao telefone que Sam vinha se preparando para o pior.

Quando enfim chegou o dia, o veterinário disse que ia sair para cuidar de algumas vacas numa fazenda vizinha e deixaria Rose em casa no caminho.

Era um dia fresco e claro. Ainda se viam os sinais da tempestade em todos os lugares, montes de neve e gelo, celeiros e anexos esmagados, buracos em estradas, árvores tombadas, fios afundados, calhas e canos de drenagem retorcidos, portões inclinados e cercas curvadas.

Mas o céu não podia estar mais tranquilo nem bonito, e até parecia um pouco ameno. Parado em pé na varanda, Sam ouvia o gotejar de neve derretida em toda parte, contrastando-o com os terríveis dias da nevasca.

— A natureza pode de fato oscilar entre ambos os lados, não, cachorro? — dirigiu-se a Flash.

O velho animal ergueu os olhos para ele e abanou o rabo.

QUANDO O SUV VERDE encostou, Sam achava-se tomando uma caneca de café perto da estrada, onde ficara desde que o veterinário telefonara para dizer que estava a caminho. Flash continuava ao seu lado, os dois a vigiar a estrada.

— Nós poderíamos ser um cartão postal — Sam disse, brincando com Flash, que abanou o rabo em resposta a seu tom de voz, mais leve do que era antes.

Flash rosnou quando o grande SUV parou na entrada de veículos, depois se calou. A fazenda era seu território agora, e ele tendia a ser possessivo em relação a ela, sobretudo na ausência de Rose.

O veterinário, um homem alto, magro, de cabelos castanhos-claros, desligou a ignição, saltou e apertou a mão de Sam, ao olhar Flash de relance.

— O cachorro está com bom aspecto, Sam — comentou. — Você fez um bom trabalho com ele.

Sam alegrou-se ao ouvir isso. Limpava as feridas e trocava os curativos do velho cachorro todos os dias — o guarda e alguns vizinhos tinham dado uma passada para ajudar e trouxeram remédios, vitaminas, puseram-no a locomover-se e massagearam as velhas juntas doloridas. Ele *fizera* um bom trabalho. Mas isso agora não tinha importância. Queria ver Rose.

Quando se aproximou da traseira do SUV e olhou dentro, viu que Rose estava numa cesta gradeada, deitada imóvel. Ela ergueu a cabeça e olhou-o, abanava levemente o rabo de um lado para o outro. Mesmo assim, ele notou a desordem que era Rose, tudo pelo que ela devia ter passado. Deu uma inspirada forte, profunda. Por mais feliz que se sentisse ao vê-la, tratava-se de uma visão chocante.

Sempre uma cachorra bela e atlética, ela era agora uma colcha de retalhos, com pele exposta, hematomas, feridas e pontos. Parecia esgotada, tinha as pernas dianteiras e costelas envoltas em ataduras, algumas de incisões cirúrgicas, outras de tubos intravenosos, ainda mais de ferimentos. O ombro envolto numa pesada gaze e a perna direita em gesso macio, que se projetava estranhamente atrás dela.

Sam olhou para o veterinário.

— Sei que parece grave, mas a aparência é pior do que seu estado neste momento — disse. — Tivemos sorte de salvá-la, e ela precisará de tempo para recuperar-se. Mas vai ficar muito bem, Sam. Não terá cem por cento de mobilidade, no entanto ainda será mais rápida do que a maioria dos cachorros. Não quis comer muito no hospital. Tente pôr alguma comida dentro dela, sim? E tem um monte de pílulas. Certifique-se de que ela as ingira. Todas etiquetadas. É uma cachorra resignada, forte. Tivemos de fazê-la passar por maus momentos, e Rose nunca se queixou ou nos criou dificuldade. A não ser quando tentávamos afagá-la. Não deixe que ela se mexa muito.

Rose não parava de olhar sua perna, a qual parecia separada do corpo, e o gesso, que ela claramente pretendia retirar assim que pudesse. Na verdade, explicou o veterinário a Sam, já o tinha retirado várias vezes. Disse que nem tentasse pôr um cone nela.

Sam olhou-o e assentiu com a cabeça, uma onda de afeto elevando-se no peito. Sempre achava divertido quando veterinários lhe diziam que mantivesse Rose imóvel. Duvidava que qualquer deles tivesse tido alguma vez um border collie como ela.

Rose esforçou-se para levantar-se, e devagar, com pequenos passos, deslocou-se para os fundos da cesta. Sam temia movê-la. Olhou para o veterinário, o qual passou um braço com todo o cuidado sob a barriga de Rose, o outro na coleira, levantou-a delicadamente e a pôs no chão.

— É assim que tem de pegá-la, se precisar. Não quero que ela pule.

Sam tomou-lhe a correia e segurou-a meio desajeitado.

— Escute, Sam, nada de trabalho. Falo sério. Não consigo nem imaginar pelo que ela deve ter passado para ter ferimentos como esses... nunca os vi antes. Uma corrida violenta poderia abri-los, até matá-la.

Sam disse que entendia. Fechou a mão na correia e olhou para a cachorra embaixo.

— Tudo bem, Rose. Bem-vinda ao lar!

Ela avançou cautelosa, arrastando a perna de forma desajeitada. Abanava o rabo devagar de um lado para o outro, quase como se estivesse tímida. Foi até Sam, farejou, em seguida lhe tocou a mão com o focinho e lambeu-a uma vez. Flash aproximou-se dela, e os dois tocaram focinhos, abanavam mais rápido os rabos agora, enquanto o cachorro mais velho farejava-lhe as ataduras e os ferimentos.

Sam ajoelhou-se no chão. Tremia um pouco ao apertar a cabeça de leve na dela. Várias lágrimas escorriam-lhe pelas faces.

Rose aceitou o abraço e retribuiu-o com lambidas delicadas.

Sam apertou a mão do veterinário, agradeceu-lhe, e, quando o SUV afastou-se, levou Rose devagar para os fundos da casa da fazenda.

Ali, retirou a correia.

— Nunca pus uma correia em você, menina, e vou confiar em que não saia daqui e vá com calma, certo?

ROSE, CAMINHANDO DEVAGAR, entendeu. Não se desprendia trabalho do tom de Sam. Com o cachorro selvagem atrás de si, ela seguiu na neve pelo caminho desobstruído.

Ergueu o focinho, olhou a encosta da colina, viu os rastros, seus instintos e sentidos reuniam a história da tempestade, contavam-na de novo para ela, fazendo-a lembrar-se e armazená-la. Por um longo tempo encarou a colina, com o focinho erguido alto no ar. Sam a observava.

A paisagem hibernal continuava impressionante, grandiosos montes de neve em toda parte, madeira e ardósia por todo o terreno. Ainda assim, era muito diferente da última vez que a vira.

Rose viu o Blackface e as ovelhas reunidos diante do celeiro sobre estacas. Desviou o olhar para o lugar onde observara Carol morrer, depois de ter fitado aqueles olhos tristes e ter se despedido dela.

Estreitou os olhos para o local onde enfrentara os coiotes.

Várias das ovelhas a chamaram, e ela retribuiu-lhes o olhar. Nenhuma se mexeu. Percebeu que lhes parecia estranha, que algumas não a reconheceram, fazia quase duas semanas, e a cachorra estava coberta de ataduras.

Blackface, contudo, reconheceu-a, e recebeu-lhe o olhar, um gesto de respeito, pareceu a Rose, algum tipo de reconhecimento.

Ela contemplou colina acima, onde fora reunir as cabras, e o pasto superior, onde se deitara quando vira o lugar de luzes azuis e o espírito da mãe.

No alto, à esquerda, as cabras começaram a zombar, queixar-se e gritar para ela, sem fazer muito sentido. Pareciam sentir que Rose tinha autoridade na fazenda, e por isso lhe faziam exigências. Queriam mais comida, como sempre. A cachorra ignorou-as, como sempre.

Mancou alguns passos à direita, e pela cerca conseguiu ver Brownie e as vacas comendo no recipiente de forragem. Não a olharam. Ouviu Winston cantar e as galinhas cacarejar no celeiro. Ele soava como se houvesse recuperado a antiga identidade, impertinente, até pomposo.

Rose viu estragos em toda parte. Seu mapa mudara; para onde quer que olhasse, a paisagem e sensos de orientação haviam sido reorganizados. Tinha muito a absorver.

Ardósia caíra do telhado da casa, viam-se buracos escancarados no telhado do celeiro e vários dos portões soltos das dobradiças. Grande parte do vidro nas janelas do celeiro estava quebrada. O vento derrubara árvores e postes.

Ela fechou os olhos e conseguiu ouvir, bem atrás de si, os ruídos de falcões que sobrevoavam acima, à procura de comida, os animais na mata em busca de forragens, caçando e cavando. Prestou atenção a algum ruído do coiote, mas nenhum ouviu. Conseguiu farejar os animais, as folhas e as moitas que se elevavam da neve e ouvir o mugido de vacas das fazendas a quilômetros de distância.

Orientava-se, após dias perdidos, imagens indistintas, tempo entrecortado. Prestou atenção a Katie, ergueu o focinho, na esperança de captar-lhe o cheiro. Mas não a ouviu nem farejou.

Calado, Sam observava a chegada de Rose ao lar, dava-lhe espaço e respeito. O cachorro selvagem estava sentado quieto e observador. Poderia parar de procurá-la agora.

Rose ergueu os olhos para os de Sam por um momento e, em seguida, mais uma vez para a fazenda em volta. Virou-se, encaminhou-se em direção ao pasto em caminhos e trilhas que haviam sido desobstruídos.

Sam ergueu a mão, como se para preveni-la, porém, quando ela se voltou e olhou-o, ele abaixou o braço. Ela se dirigiu devagar ao portão do pasto, arrastando o gesso e sacudindo a cabeça para afugentar a dor. Conseguiu lentamente arrastar-se sob o portão e se pôs a subir para o celeiro sobre estacas, onde as ovelhas se reuniram num rebanho e abaixaram a cabeça para examiná-la.

Rose sentou-se.

Analisou seu mapa e, quase inconscientemente, mudou-o. Retirou uma vaca, um cordeiro morto, a mula, uma ovelha e uma galinha.

Manteve Katie no mapa, e mais uma vez examinou atenta a fazenda à procura dela, por reflexo. Não estava no pasto, nem na mata. E, Rose farejou, ainda não estava na casa. Olhou o cachorro selvagem atrás, o qual, sentado ao lado de Sam, a observava.

Sua visão às vezes se turvava e o corpo doía. Sentia no flanco uma estranha rigidez das feridas, as ataduras, as costelas quebradas e ossos doloridos. O simples ato de respirar era doloroso, lento. Sabia que não podia correr nem saltar. E, pelo menos dessa vez, não podia trabalhar, ainda não.

Rose tornou a olhar ao redor, as ovelhas, e Sam.

Por fim, pareceu que vira o que precisava ver, soubera o que precisava saber. Fechou os olhos e ergueu o focinho alto no ar.

Devagar, quase arduamente, deitou-se no celeiro sobre estacas perto das ovelhas, que se agitaram nervosas. Tornou a fechar os olhos e tentou sonhar seu sonho preferido, aquele com as ovelhas a mastigar ao ar livre no prado, a relva ondular ao vento, brilhar ao sol.

Epílogo

PRÓXIMO AO VERÃO, A FAZENDA EXIBIA SUA EXUBERÂNCIA, CHEIROS FORTES e o verdor de sempre, reconhecível, pensou Sam, ainda que não muito a mesma do ano anterior. O milho e a alfafa estavam altos e verdes, os celeiros tinham novos telhados de ardósia púrpura. O pasto externo enchia-se de vacas e mais de vintes cordeiros lançavam-se brincalhões para dentro e para fora do celeiro sobre estacas. Moscas e mosquitos enxameavam em toda parte.

A comunidade se reunira, como fazem as comunidades agrícolas, para ajudar a pôr todas as fazendas de pé e em andamento. Ainda se viam sinais de estragos na maioria das casas e celeiros, mas a tempestade parecia remota a muitas, outro drama da vida numa longa série. Os fazendeiros conheciam os dramas. Sam vira vários.

Morte e dificuldades eram rotina, uma parte inerente da vida agrícola. Sempre existiam afazeres, colheitas, trabalho para impulsioná-la adiante.

Alguns vizinhos haviam chegado para ajudar Sam a consertar cercas e portões, muitos dos quais foram danificados no esmagamento de neve e gelo. Prenderam lonas enceradas sobre os buracos no celeiro e reconstruíram as portas do grande.

A notícia do lobo espalhara-se rápido por todo o município e causara certo pânico. Os fazendeiros pegaram suas espingardas de caça e fuzis, os agentes de vida selvagem municipais e estaduais rondaram a mata à procura de rastros. Contudo, não se encontrara o lobo, nem se descobriram pegadas. Raras vezes se falava muito mais no animal, embora Sam continuasse a levar sua espingarda quando saía à noite. Vira o coiote acima, perto do celeiro.

Rose também se lembrava daquela noite. Ele notou que ela se comportava de maneira estranha perto do celeiro sobre estacas, onde muitas vezes parava, farejava o terreno e seus pelos se eriçavam.

ROSE ADQUIRIRA O HÁBITO, logo após o amanhecer, de entrar na despensa, onde dormia o cachorro selvagem perto do fogão a lenha, e acordá-lo com fungadas. Ele era lento para despertar, esticava as enrijecidas pernas e patas dianteiras, em seguida se levantava e engolia um pouco de água. Depois os dois se esgueiravam pela porta da frente antes de o dono aprontar-se para sair e fazer as tarefas. Desde a tempestade, Sam agora passava algum tempo de manhã no computador, sempre resmungando sobre burocracia, formulários e regulamentos para reivindicar seguro e subvenções.

Rose não tinha a menor ideia do que ele fazia, nem do porquê, mas se adaptara ao novo horário um pouco mais tarde. Era quando ela e o cachorro saíam para a sua caminhada ao redor da fazenda e nos campos próximos.

SAM NOTOU que, desde a tempestade, Rose passava mais tempo sozinha do que antes, no celeiro, ou na trilha, lá fora. Saía muitas vezes com Flash, que, embora frágil demais para correr atrás de ovelhas, adorava sentar-se com a cachorrinha no celeiro ou observá-la do portão do pasto, enquanto a pastora trabalhava. Os dois quase sempre passavam juntos as noites, perto do fogão a lenha, onde o calor tornava-lhe a perna confortável, ou no quarto de costura de Katie.

Flash tomava pílulas para vermes e parasitas, artrite, doença cardíaca e juntas doloridas. Mas se recuperara admiravelmente bem de seu deplorável estado anterior e estabelecera-se feliz de novo na vida de fazenda, embora não pudesse trabalhar.

Adorava dormir nos cantos escuros e bolorentos de velhos celeiros e ficava perto do fogão a lenha em noites frias. Apoderara-se do velho sofá preto, que às vezes se dignava a partilhar com Sam. Gostava das porções de comida de cachorro servidas pela manhã e à noite, e sentia que o dono passara a ter uma forte afeição por ele.

SAM TAMBÉM O SENTIA. Se Rose era sua cachorra de trabalho, Flash se tornou algo semelhante a um animal de estimação. Rose detestava sair da fazenda e, às vezes, passava mal em caminhonetes, incomodada pelo movimento, ao qual era muito sensível. Em Flash, Sam tinha um companheiro para a infindável jornada motorizada ao redor da propriedade que acompanhava a vida rural. Via que Flash gostava disso, o que se tornou seu novo trabalho.

Levava-o a todo lugar aonde ia, e Rose com frequência erguia os olhos quando a caminhonete descia colina abaixo, a cabeça de Flash projetada fora da janela, absorvendo os cheiros e visões das tocas, grutas e mata, onde ele vivera durante tanto tempo.

QUANTO A ROSE, sentia que a companhia do cachorro selvagem deixava Sam mais feliz, mais alegre. Tratava-se de um trabalho que não podia fazer. Às vezes, sentia-se possessiva ou dona do território, no entanto desconhecia a inveja. Entendia que o cachorro precisava trabalhar e a necessidade que Sam tinha dele.

Numa manhã de um dia fresco no início do verão, com o nevoeiro elevando-se no pasto e acima das colinas além, Rose entrou na despensa e não encontrou Flash ali. Soube que ele não estava na casa, não conseguia farejá-lo nem o ouvir.

De fato, escutou as ovelhas gritarem, mas não assustadas. Pareciam confusas, como ficavam quando alguma coisa fugia ao comum. Significaria o surgimento de uma marmota, uma raposa, um avião, um gambá.

Ela saiu pela porta vaivém para a fresca manhã ensolarada, tão diferente da neve e do gelo da imensa tempestade. Olhou em direção ao celeiro sobre estacas, onde se encontravam as ovelhas, e parou. Após um instante, pôs-se a correr desabalada pelos fundos da fazenda até o portão do pasto, deslizou por baixo deste e subiu ao longo do grande celeiro, ganhando velocidade, enquanto seguia para o alto da colina em estado de grande excitação. Viu-o apenas ao chegar mais perto, embora já soubesse que ele estava ali.

No alto, junto à lateral do celeiro sobre estacas, estendido de lado, encontrou Flash.

A certa distância, escutou-lhe a respiração ruidosa, o fraco batimento cardíaco. Esforçava-se num estado deplorável, a língua pendida para um dos lados da boca. Devia ter se levantado durante a noite, se esgueirado porta afora e subido ao pasto. Não teria optado por morrer dentro de casa.

Em vez disso, preferiu morrer com as ovelhas, como faria qualquer cachorro de fazenda.

Quando o alcançou, ela farejou-lhe o rabo, em seguida o flanco, antes de tocar-lhe o nariz. Ouvia o fraco bombeamento do sangue nas veias do cachorro, a respiração difícil, o estertor na garganta.

Soubera, claro, bem antes de chegar a ele.

Não foi um sentimento ruim. Viu uma imagem do velho e emaciado cachorro em busca de refúgio, enquanto se aproximava a nevasca. Ele era outro agora.

Vira-o estabelecer-se feliz na fazenda, afeiçoar-se a Sam de uma forma que Rose jamais conseguiu, enroscar-se toda noite em sua macia cama de cachorro, viver os últimos dias em conforto e cercado de afeto. Viu como ele se sentia contente.

Sabia que era cego de um olho, quase surdo, coxo nas duas pernas, e que tinha os joelhos e as juntas doloridas e inchadas. Farejou a ligação consanguínea e também a sentiu; os dois haviam se unido de modo fortíssimo desde a tempestade.

Todos os animais da fazenda olharam atentos acima, alguns inquietos, a estranha visão dos dois cachorros juntos ao lado do celeiro sobre estacas, um deles a exalar um cheiro tão inconfundível de morte.

Algumas moscas já zumbiam em volta de Flash, e, ao erguer os olhos para o céu, Rose viu abutres sobrevoar em círculos, lá no alto. Também existiam comedores de animais mortos na terra, fora da visão, raposas, coiotes, aves e guaxinins. Assim que o espírito dele partisse, ela não tinha o menor interesse naquele corpo decomposto. Os abutres podiam comê-lo.

Sentou-se ao lado do pai, o qual abriu os olhos, e cuja respiração era um chiado na garganta. Tinha os olhos vidrados, fora de foco, e as pernas traseiras estendidas, uma delas torcendo-se em espasmo.

As ovelhas agora encaravam ansiosas. Um impulso de ir buscar Sam passou-lhe rápido pela mente, mas ela olhou Flash e *sentiu-lhe* os instintos: ele queria ficar a sós com ela, com as ovelhas, no pasto.

Terminara para o velho cachorro. Rose não sentiu nenhum pesar, apenas uma responsabilidade de ficar com o pai nessa passagem.

ELA NÃO SAIU DO lado de Flash naquela manhã.

No alto da colina, o sol a dissolver o nevoeiro, os dois cachorros fundiam-se em sua fantasia específica. Os outros animais afastaram-se, a cena era-lhes estranha, perturbadora. O velho cachorro precisava ser tocado, reconhecido, e Rose deitou-se junto e apoiou o focinho no pai.

Flash partia, e ela levaria um tipo de vida diferente sem ele. Embora não conhecesse exatamente a dor da perda, conhecia a perda.

Para Flash, tratava-se de uma jornada para o desconhecido. Rose sabia até onde ela podia levá-lo, porque estivera lá antes. Fechou os olhos, e o agonizante fechou os dele, e ambos entraram em outro espaço, mais silencioso do que qualquer um que o cachorro selvagem conhecera, assim como Rose passara por essa experiência durante a tempestade.

Era um lugar de absoluta quietude e paz.

Eles atravessaram uma serena expansão de água, parada e cintilante. Chegaram à outra margem. Mais uma vez, viam-se as luzes azuis fugidias até onde alcançava a vista de ambos, as incontáveis luzes no outro lado do rio.

Os dois perceberam que estavam com os espíritos de cachorros.

Rose viu o velho cachorro encontrar aquele lugar de paz e sossego. Ela não estava lá, apenas o guiava. Ele caminhava ao seu lado, devagar, e a princípio com certa dor. Mas logo esta pareceu passar e o seu andar se endireitou, o ritmo se acelerou, e pouco depois, quando chegaram ao ponto de que Rose não podia passar, Flash simplesmente deslizou diante dela.

Virou-se para a filha, ambos se entreolharam, e então ele se afastou e não olhou para trás.

Em seguida, ela o perdeu para o mar de luzes azuis, cores e névoa em que ele parecia desvanecer.

E assim, sem mais, desapareceu.

Rose abriu os olhos, examinou o pasto e sentiu o vento. Ergueu o focinho no ar, captando as histórias trazidas pelo vento, e soube tudo o que precisava saber.

Viu que, embora os olhos do velho cachorro estivessem abertos, ele parara de respirar; seu espírito subira rodopiando céu adentro. Ela farejou-lhe o focinho, em seguida a testa, depois tornou a se sentar, prestando atenção às ovelhas e à fazenda.

Os animais chamaram baixinho uns aos outros e desviaram o olhar.

E ao ouvir uma porta bater bem abaixo, ela viu Sam subir a colina, com uma pá na mão. Escutara-o antes chamar Flash, vira-o olhar pela janela. Também ele devia ter sabido o que o cachorro fazia no pasto, por que fora para lá. Deixara-os sozinhos até que viu as aves sobrevoando em círculos.

E ela via agora que ele observava o chão aos pés, o rosto estranhamente contorcido.

Rose dirigiu-se devagar ao seu encontro para acompanhá-lo de volta colina acima.

Era só o que podia fazer.

Bastava.

A FAZENDA foi bem nos dias de cão.

Sam decidira cruzar Rose, e ela estava grávida. O macho era um border collie puro-sangue de Manchester, Vermont. Ela estava tranquila e madura, como ele gostava de dizer, e ele parecia um pai orgulhoso e ansioso.

Os filhotes de Rose, dizia aos amigos, tinham de ser cachorros especiais. Outros fazendeiros deviam tê-los, e Sam não se sentia acanhado em relação a pensar no dinheiro que talvez rendessem. O veterinário disse que dois mil dólares por filhote não seriam um valor exagerado, talvez até mais, em vista da disseminada reputação de Rose. Para ele, e para qualquer fazendeiro, era dinheiro graúdo. O trabalho dela na tempestade já se tornara uma lenda local, e algumas pessoas chegaram a aparecer na fazenda para dar uma olhada nela. Em geral, Sam as enxotava.

Pretendia ficar com um dos filhotes para si. Sentia mais saudade de Flash do que teria imaginado ou confessado a alguém.

Rose, de fato, era diferente, embora Sam não soubesse dizer exatamente como. Achava que ela, de algum modo, parecia mais tranquila, mais contemplativa, se é que se podia empregar tal palavra para descrever um cachorro.

Alguma coisa em Rose parecia mais acomodada, quase serena, com exceção de sua manqueira, um lembrete daqueles terríveis dias na tempestade. Pensou: fora isso não se perceberia.

COM O AVANÇO DO VERÃO, a barriga de Rose começou a inchar. A cada dia que passava, ela ficava mais tranquila e redonda. Descansava nas horas quentes de verão como nunca fizera antes.

Numa tarde, quando Sam saíra na caminhonete e desprendia-se da fazenda uma luz suave no Sol enevoado, com os animais acomodados e serenos, Rose sentiu algo se agitar dentro de si. Devagar, refez o caminho de volta colina abaixo, longe das ovelhas, tomou o atalho e foi para o tronco de Katie.

Não se apressou, parava para farejar tocas de coelho, excremento, e prestar atenção aos ruídos de camundongos, esquilos de dorso listrado e abelhas. Sentia uma sensação de grande expectativa.

Adorava esses passeios pela mata, a confusão de cheiros, barulhos e cores que a despertavam e aguçavam-lhe os sentidos. As histórias de seu mundo dançavam em sua cabeça. Mal conseguia acompanhá-las e sentia-se como se girasse de alegria.

Sentia-se forte, cheia de vida.

E sentia-se, pela primeira vez na consciência, leve e livre.

E não solitária.

Quando chegou ao tronco, deitou-se.

Após uma longa pausa, Rose imaginou Katie. As duas escutavam o ruído do córrego que se precipitava pela floresta, a farfalhada das folhas na brisa, os pássaros nas árvores, os animais correndo pelo terreno e em tocas. Sentiam o perfume de flores e absorviam as novidades do vento, as sombras em mutação.

Conte-me, pediu Katie, teve mesmo um lobo?

Rose ergueu os olhos e fixou-os nos de Katie, e as duas examinaram as almas uma da outra. Embora não entendesse as palavras, ela inclinou a cabeça para tentar captar o tom e percebeu a surpresa, a admiração e o amor.

Agradecimentos

Agradeço a Jennifer Hershey pelo seu extraordinário trabalho árduo e visão em moldar este desafiante livro e me auxiliar no retorno à ficção. E a Jen Smith.

Também agradeço a Bruce Tracy, Andy Barzvi, Richard Abate, Emma Span, Jane Ritcher, Brian McLendon, Courtney Moran, Elizabeth Stein e Maria Wulf.

Sou grato aos meus maravilhosos cachorros, Rose, Izzy, Lenore e Frieda, os quais inspiram todos os dias meu trabalho e minha fotografia.

Sobre o autor

JON KATZ é autor de dezenove livros, sete romances e doze obras de não ficção, entre eles *Soul of a Dog, Izzy & Lenore, Dog Days, A Good Dog* e *The Dogs of Bedlam Farm*. Escreveu para *The New York Times, The Wall Street Journal, Slate, Rolling Stone, Wired* e *AKC Gazette*. Tem trabalhado para a CBS News, *The Washington Post* e *The Philadelphia Inquirer*. Katz também é autor de um livro infantil, *Meet the Dogs of Bedlam Farm*. Mora no norte do estado de Nova York com a artista plástica Maria Wulf; suas cachorras: Rose, Izzy, Lenore e Frieda; as mulas, Lulu e Fanny; e as gatas de celeiro, Mother e Minnie.

www.bedlamfarm.com